中村繁夫

JN276360

レアメタル超入門

現代の山師が挑む魑魅魍魎の世界

GS
幻冬舎新書
125

レアメタル超入門／目次

第三章　日本の先進環境技術は、サバイバル戦略の切り札か

図版作成　米山雄基

序章

金融危機で露見した脆弱な世界

一葉散って天下の秋を知る

「プットの買いで保険つなぎしなさい！」

携帯に一通のメールが飛び込んできた。二〇〇八年一〇月一〇日、東大生産技術研究所主催のレアメタル研究会で、「一葉散って天下の秋を知る」と題した講演を行っているときである。

〇八年九月一五日、アメリカの最大手証券会社リーマン・ブラザーズの株価が暴落。リーマン・ショックが世界を駆け巡り、九月二六日から一〇月一〇日のわずか二週間足らずで、日経平均が三三パーセント、NYダウが二四パーセント、原油が二七パーセント下落、レアメタルの市況も大暴落していた。

メールの送り主は、友人で相場の神様こと浜中泰男氏である。かつて、世界の銅の五パーセントを取引する男として、「世界の五パーセント男」との異名をとった人物だ。

しかし、メールの意味がわからない。講演の休憩時間に入り直ぐに電話で聞いた。「大暴落しているニッケルにヘッジを入れよ！」という意味であった。ストップロス（損失を限定的に食い止める措置）をかけるため「先物を売る権利を買う」取引を「プットの買い」と呼んでいる。

「オプション取引ですね？」と、念のため確認した。プットの買いで保険金さえ払っておけば、一定額以上の損失は出ないのである。

幸運にも、休憩時間中に、最悪のリスクに晒《さら》されていたニッケル在庫すべてにヘッジをかけ終えることができた。悪夢を回避することができたのである。

レアメタル市況に〇八年金融危機の兆しが

実は、昨年秋に勃発した世界金融恐慌の徴候を、〇七年秋に察知していた。レアメタルの市況には往々にして時代を先取りした徴候が現れる。一昨年秋、全体的に暴騰しパニックに陥っていたレアメタル市況の一部に、変化が生じていた。鉄鋼分野で中国向け輸出が頭打ちとなり、ニッケル市況などがピークアウトし始めていた。ベースメタルの一部が、弱含みで推移し始めたのである。

長年マーケット読みを生業《なりわい》としている者は、誰もがマーケットを先読みする自己流の法則を身につけている。筆者の場合、物事を一五年周期で考える癖が知らぬ間に身についている。

では、一五年周期とはどういうものか？　いくつかの例を挙げよう。例えば、第二次大戦後、一九四五年からの五年間は復興期、五〇年からの五年間は新システムの構築期、五五年から六〇年にかけての五年間は構築されたシステムが軌道に乗り始める時期、そんな風に歴史を概観している。

その見方をソ連の崩壊や中国の天安門事件など、昨今の動向にあてはめると、二〇〇九年からのロシア、中国は、その成長にいったん区切りをつけるものと予測できた。〇六年夏に執筆していた『レアメタル・パニック』（二〇〇七年、光文社刊）において、〇八年の北京オリンピックの終わり頃から中国経済はバブル崩壊に直面すると、筆者は主張していた。

当時はそうした予測を、「こんなに景気がいいのにアホちゃう！」と、一笑する人が多かったが、実際は、〇七年秋にレアメタルのいくつかの銘柄に前兆が現れ、〇八年秋、ご覧の通りの惨状となってしまった。

過ぎしベア・マーケットは、苦い良薬

この原稿を執筆している〇九年四月現在、この不況はいつまで続くのか？　様々な予想が飛び交っている。

4種類のベア・マーケット

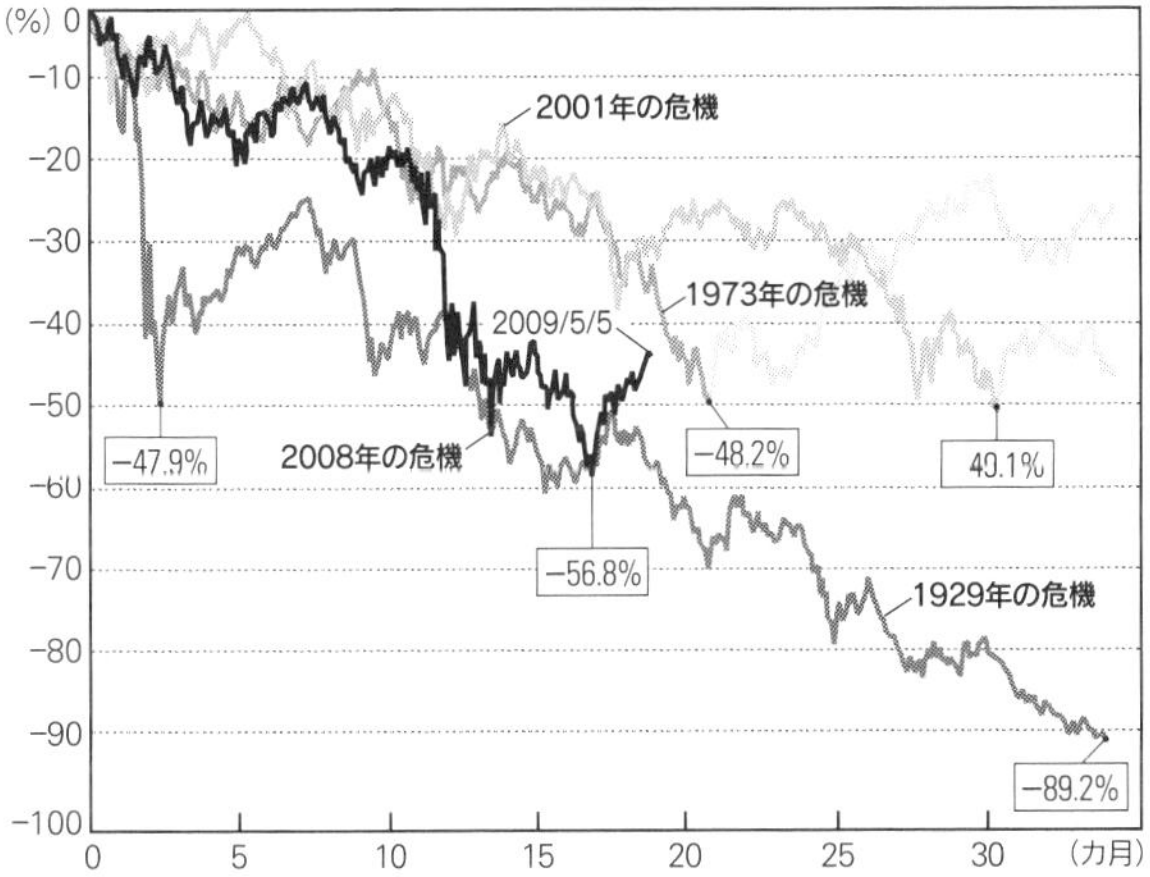

先ほど触れた一五年周期という筆者の見方の他に、市場を見るツールとして過去のベア・マーケット（弱気市場）を参考にするのも一つの方法である。一九二九年、一九七三年、二〇〇一年の暴落と、その後の株式市場の動きをひとつのグラフで表してみると、暴落後どのくらいで市場が落ち着きを取り戻したかが見えてくる。

興味を持たれた方は自分でグラフを作ってみるといい。自ずと〇八年危機の行方が見えるだろう。筆者の見立てでは、二〇一〇年くらいまでこの底練り低迷状態がダラダラ続く。

このようにマーケットの大きな動きを自分なりに予測を立てながら、日々判断してきた。

レアメタルの市況は一〇年に一回ぐらい、

これまでも暴落相場を経験している。しかし、今回の激震はかつて経験したことのない、正につるべ落とし的な大暴落であった。一〇〇年に一度といわれる恐慌の影響は、先物市場を持たないレアメタル市場にも狼狽《ろうばい》売りとして拡大した。金融界の混乱が商品ファンドに影響を及ぼしたとの見方もできる。

相場の格言によれば「山高ければ、谷深し」というが、〇四年から四年以上続いたレアメタル高騰パニックが、たったの一カ月で史上最大の暴落に転じたのである。ビジネスの世界においては、「急騰相場」より「急落相場」のほうが恐怖感を抱かせる。パニックは顕著に表れる。

四年かけて上がったものは、四年かけて下がるのが普通である。それがたった一カ月で、平均およそ三三％下降した。これから、多少とも続く市場の混乱と在庫整理を経験しつつ、レアメタル市場が落ち着くまでに三年以上はかかるであろう。

寸善尺魔の時代

地球上の生物史を見ると、生き残ってきた「種」は決して単に強いだけではない。変化に対応できた「種」が生き残っている。

今は「寸善尺魔」の時代といえる。善い時代は一寸しか続かない。そして一尺すなわち一〇倍の魔の時代が延々と続くのである。

特に実体経済の数十倍、数百倍の投機マネーが瞬時に移動する現在のグローバル経済において、金融工学を駆使する投機筋は危機局面におかれると、とりあえず「売り一色」を選ぶ。その下げ相場の振幅は、今回の危機的状況を見てもわかるとおり、極端に拡がる。

恐慌が完全に終息するには、まだ時間を要するだろう。アメリカ発の金融破綻の爪痕が、本当の意味で修復され次の段階に入るまで、これから一五年は必要である。その間、柔よく変化に対応する者が次の時代を導くに違いない。筆者は米国の硬直性と中国の柔軟性が相俟《あいま》って、世界の歴史を変える可能性が極めて高いと予想している。

一連の金融現象は一過性である。しかし、気を許してはならないのは、レアメタル資源では、需要の増加や資源ナショナリズムの動向については、一過性で済まないことだ。米国サブプライム問題に端を発した世界的金融破綻が終息に向かう時、資源インフレが再び始まるのは自明の理である。

日本は、周知のとおり「資源貧国」である。暴落で資源価格が下がった今こそ、千載一遇のチャンスである。海外の採掘権、資源企業なども、レアメタル資源のバーゲンセールが始まっている。市況は暴落前の半値八掛けである。加えて円高であり、大体二割安で買える。いうなら半値八掛けの二割引で、定価の約七割引の資源大安売り時代が到来しているのだ。このチャンスを逃す手はないであろう。

レアメタル物語は日本で始まる

ここで、レアメタルとは何かということについて簡単に触れておきたい。

レアメタルとはその言葉どおり、レアなメタル（希少な金属）の総称である。埋蔵量が少ない、もしくは埋蔵量が多くても経済的・技術的に取り出すのが難しい金属である。それゆえ、各国が経済安全保障上の理由から備蓄を行っている。

そもそもメタル（金属）市場の九五％を鉄が占めている。残り五％程度の「非鉄」において、需要量が一〇〇万トン以上のベースメタルと呼称されるものは銅、鉛、亜鉛などであり、それに当てはまらない金属がレアメタルと呼称される。故に、このレアメタル市場は、非常に限定された量的に小さな世界といえる。しかし、品種の数は圧倒的に多い。

独立行政法人石油天然ガス・金属鉱物資源機構（ＪＯＧＭＥＣ）は、ニッケル、コバルト、タングステン、インジウムなど、計三一鉱種、四七種類の金属をレアメタルに指定し

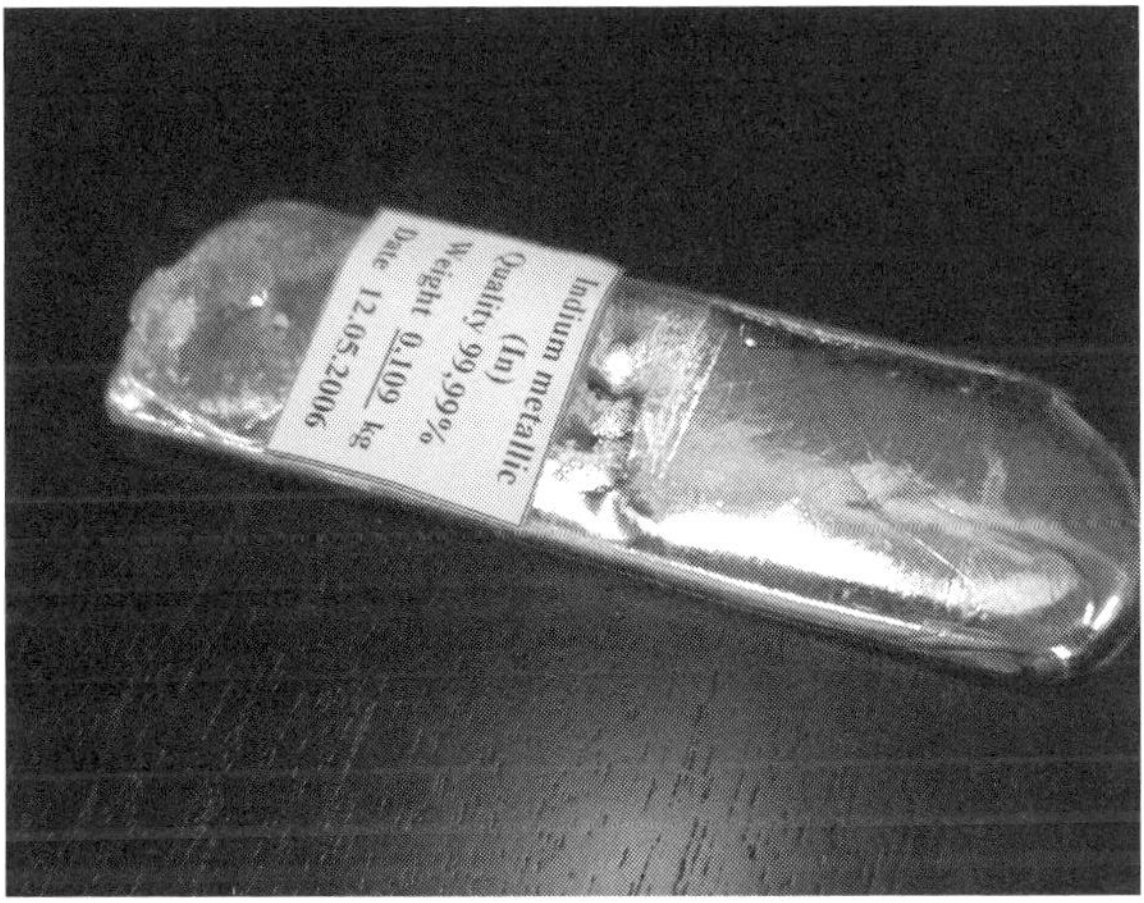

棒状のインジウム

ている（次々ページの元素周期律表を参照のこと）。ただし筆者は四七種類に加えてルテニウム、ロジウム、オスミウム、イリジウム、ナトリウム、マグネシウム、カリウム、カルシウム、さらにカドミウムなどの一〇元素を加えた五七種類をレアメタルと定義している。貴金属やアルカリ金属などもハイテク産業に不可欠であるからだ。その需要量は、ベースメタルのおよそ一〇分の一から一〇〇〇分の一の規模で、モリブデンがせいぜい二〇万トン、コバルトなどはわずか六万トンである。また、ベースメタルは世界の広範囲に分散しており、供給元が多様化しているが、レアメタルは中国、アフリカ、南米などに偏在し、供給安定性に欠けている。

レアメタルの種類(元素記号)

リチウム	(Li)	＊希土類元素	
ベリリウム	(Be)	スカンジウム	(Sc)
ボロン	(B)	イットリウム	(Y)
希土類	(RE)＊	ランタン	(La)
チタン	(Ti)	セリウム	(Ce)
バナジウム	(V)	プラセオジミウム	(Pr)
クロム	(Cr)	ネオジミウム	(Nd)
マンガン	(Mn)	プロメチウム	(Pm)
コバルト	(Co)	サマリウム	(Sm)
ニッケル	(Ni)	ユーロピウム	(Eu)
ガリウム	(Ga)	ガドリニウム	(Gd)
ゲルマニウム	(Ge)	テルビウム	(Tb)
セレニウム	(Se)	ディスプロシウム	(Dy)
ルビジウム	(Rb)	ホルミウム	(Ho)
ストロンチウム	(Sr)	エルビウム	(Er)
ジルコニウム	(Zr)	ツリウム	(Tm)
ニオビウム	(Nb)	イッテルビウム	(Yb)
モリブデン	(Mo)	ルテチウム	(Lu)
パラジウム	(Pd)		
インジウム	(In)		
アンチモン	(Sb)		
テルリウム	(Te)		
セシウム	(Cs)		
バリウム	(Ba)		
ハフニウム	(Hf)		
タンタル	(Ta)		
タングステン	(W)		
レニウム	(Re)		
プラチナ	(Pt)		
タリウム	(Tl)		
ビスマス	(Bi)		

元素周期律表

1	2	3	4	5	6	7	8	9	10	11	12	13	14	15	16	17	18
水素																	ヘリウム
リチウム	ベリリウム											ホウ素	炭素	窒素	酸素	フッ素	ネオン
ナトリウム	マグネシウム											アルミニウム	ケイ素	リン	硫黄	塩素	アルゴン
カリウム	カルシウム	スカンジウム	チタン	バナジウム	クロム	マンガン	鉄	コバルト	ニッケル	銅	亜鉛	ガリウム	ゲルマニウム	ヒ素	セレン	臭素	クリプトン
ルビジウム	ストロンチウム	イットリウム	ジルコニウム	ニオブ	モリブデン	テクネチウム	ルテニウム	ロジウム	パラジウム	銀	カドミウム	インジウム	スズ	アンチモン	テルル	ヨウ素	キセノン
セシウム	バリウム	ランタノイド	ハフニウム	タンタル	タングステン	レニウム	オスミウム	イリジウム	白金	金	水銀	タリウム	鉛	ビスマス	ポロニウム	アスタチン	ラドン
フランシウム	ラジウム	アクチノイド	ラザフォルジウム	ドブニウム	シーボーギウム	ボーリウム	ハッシウム	マイトネリウム									

ランタノイド	ランタン	セリウム	プラセオジム	ネオジム	プロメチウム	サマリウム	ユウロピウム	ガドリニウム	テルビウム	ディスプロシウム	ホルミウム	エルビウム	ツリウム	イッテルビウム	ルテチウム
アクチノイド	アクチニウム	トリウム	プロトアクチニウム	ウラン	ネプツニウム	プルトニウム	アメリシウム	キュリウム	バークリウム	カリホルニウム	アインスタニウム	フェルミウム	メンデレビウム	ノーメリウム	ローレンシウム

■ 経済産業省が指定するレアメタル31鉱種、47元素

□ 47元素に加えて筆者がレアメタルと定義する10元素

日本は世界最大のレアメタル消費国である。例えば、先に挙げたモリブデンは、全体の消費量二〇万トンのうち、日本が三万トンを消費している。また、コバルトは全体の消費量六万トンのうち、日本が占める消費量の割合は一・五万トンである。

資源貧国でありながら、世界最大のレアメタル資源消費国が我が国なのである。

資源最貧国ジャパンは、レアメタル消費大国

そのレアメタルが、昨今、私たち一般人の家庭生活の中に奥深く入り込んでいるのである。

具体的には、例えば液晶ディスプレイ（ＬＣＤ）の導電膜に使用されるインジウム、二次電池の電極・電解質に使用されるリチウムやコバルト、発光ダイオード（ＬＥＤ）に使用されるガリウム、高性能モーター用永久磁石に使用されるネオジムやディスプロシウムなどが挙げられる。

こうしたレアメタルが持つ機能性により、ＴＶモニターの映像はくっきり見えるようになったのであり、パソコンやデジカメ、ビデオカメラは小型化し、デジタル家電の消費電力は大幅に削減された。

レアメタルの元素別特性

超伝導	チタン、ニオビウム、希土類、モリブデン、ボロン、バナジウム、ゲルマニウム、ガリウム、バリウム
強磁性	ニッケル、クロム、コバルト、マンガン、希土類
半導体	ゲルマニウム、ガリウム、セレニウム、インジウム、テルリウム、ビスマス、アンチモン
高温耐熱	クロム、タングステン、コバルト、モリブデン、バナジウム、ニオビウム、チタン、ボロン、ジルコニム、ハフニウム
光電変換	アンチモン、ガリウム、セレニウム、インジウム、セシウム、テルリウム
熱伝変換	アンチモン、プラチナ、ジルコニウム、テルリウム、レニウム、ビスマス、希土類
触媒特性	バナジウム、パラジウム、コバルト、タングステン、モリブデン、ルビジウム、ジルコニウム、希土類
放射線機能	ストロンチウム、リチウム、ベリリウム、ボロン、ジルコニウム、テルリウム、タリウム、ビスマス、希土類
耐食性	クロム、コバルト、モリブデン、ニオビウム、パラジウム、プラチナ、チタン、ベリリウム、ルビジウム、ジルコニウム、ハフニウム、タリウム
光学性特性	パラジウム、タンタル、ゲルマニウム、ベリリウム、ガリウム、セレニウム、インジウム、テルリウム、セシウム、タリウム、希土類

先端産業から見たレアメタルの機能と用途

チタン、マグネシウム	航空、海水淡水化、プラント、発電、原子力、鉄鋼、Al添加
希土類	光学、レンズ、磁気、蛍光、触媒、電子、超伝導
タンタル、ニオビウム	セラミックコンデンサー、光学、オプト、超硬、電子、特殊鋼、耐熱
タングステン、モリブデン	超硬工具、ハイス、電子、触媒、合金、焼成板
ニッケル、コバルト	ステンレス、合金、めっき、電池、磁性、触媒、耐熱
ストロンチウム、バリウム	磁性材、フェライト、X線遮蔽、管球ガラス、セラミックコンデンサー
アンチモン	難燃剤、蓄電池、減摩合金、ガラス清澄剤
ゲルマニウム、ガリウム	ペット樹脂触媒、光産業、赤外線、化合物半導体、蛍光
ジルコニウム、ハフニウム	原子力、耐火物、電子材料、ファインセラミック、センサー
リチウム、ベリリウム	二次電池、特殊ガラス、酸化物単結晶、航空、ばね材

レアメタルの特性は耐熱性、耐食性、磁性、蛍光特性などにある。各メーカーは電子材料分野における応用技術を開発することで、製品の小型化や軽量化、高性能化、省エネルギーを図ってきた。携帯電話、パソコン、デジカメといった家電製品から、半導体、コンデンサ、二次電池、光ファイバーといったハイテク産業に至るまで、レアメタルは欠かせない素材となっている。

また、自動車部品の原料として使われているレアメタルも少なくない。点火プラグに使用される白金やイリジウム、排ガス浄化のための触媒として使用される白金や、パラジウム、ロジウムなどの貴金属も不可欠なレアメタルである。

前項で、レアメタル価格はしばらく低迷すると記述したが、もう少し正確にいえば、第三章で詳述するが、その用途によりレアメタルは分類できる（154頁参照のこと）。そのうち、前述した電子材料分野で使用されるレアメタルについては、今後、そのニーズが一段と高まり、今年は活発な値動きがあり、意外高になるものと予想している。

期待の星、ハイブリッド車はレアメタルの塊

今後、ハイブリッド車の占有比率は高まり、搭載されている高性能駆動モーターや二次

電池は需要が増加し、電子部品搭載率は四割を上回ると予見されている。当然、レアメタルの使用量は急増する。

将来的に普及が期待される燃料電池車についても同様である。

車載機器の電子化が進むなか、もはや、ガソリン車は限界にきているとする向きが強い。電動パワーステアリングシステムや、センサーと連動した事故防止システム、電動コンプレッサ、カーナビシステムなど自動車の最新機能の多くは電力を必要とし、ガソリン車の一四ボルトバッテリーでは対応しきれなくなっている。四二ボルトバッテリーを採用したガソリン車も発売されたが、経済合理性に難がある。

従って、時代の流れはハイブリッド車に解決方法を見出している。

一五〇〇〜二〇〇〇ボルトのバッテリーを搭載したハイブリッド車なら、増え続ける電子機器にも余裕を持って対応でき、「ハイブリッド・システムは、車のエレクトロニクス・プラットフォームになる」ことが確実視されている。

ハイブリッド車が主流となれば、バッテリーやモーター、インバーターなどの基幹電子機器に加え、これまで機械的に繋がっていたステアリングやブレーキ、アクセルなどを統合的に電子制御できるモジュールの開発も進むであろう。従来の部品メーカーは駆逐される可能性すらある。

車載機器の電子化に伴い、電機メーカーが一段と自動車業界に深入りし、新たな技術競争が繰り広げられることになる。そうした次世代自動車戦争の要となる材料がレアメタルなのである。

レアメタルはIT・デジタル革命のアキレス腱

三〇年前、筆者がレアメタルに携わり始めた頃は、正直言って地味な産業分野であった。しかし、今やレアメタルは産業を支える「ビタミン」、さらに「アキレス腱」と言われるほど重要な分野になった。

日本のレアメタル市場は二〇〇三年で一・一八兆円、〇五年で約二兆円、〇六年に二・四兆円、〇七年には三・三兆円規模まで到達、〇八年は下半期での落ち込みもあったが、通年では前年並みを維持した。

筆者は仕事柄、これまで世界八九カ国を巡ってきた。今や、世界のどこでもデジタル製品を使うようになっている。例えば中近東やインドの物乞いの人々、アマゾン河流域のインディアンと呼ばれる人々、アフリカの最貧国家においてすら携帯電話やパソコンは日常

レアメタルの日本市場規模の推移

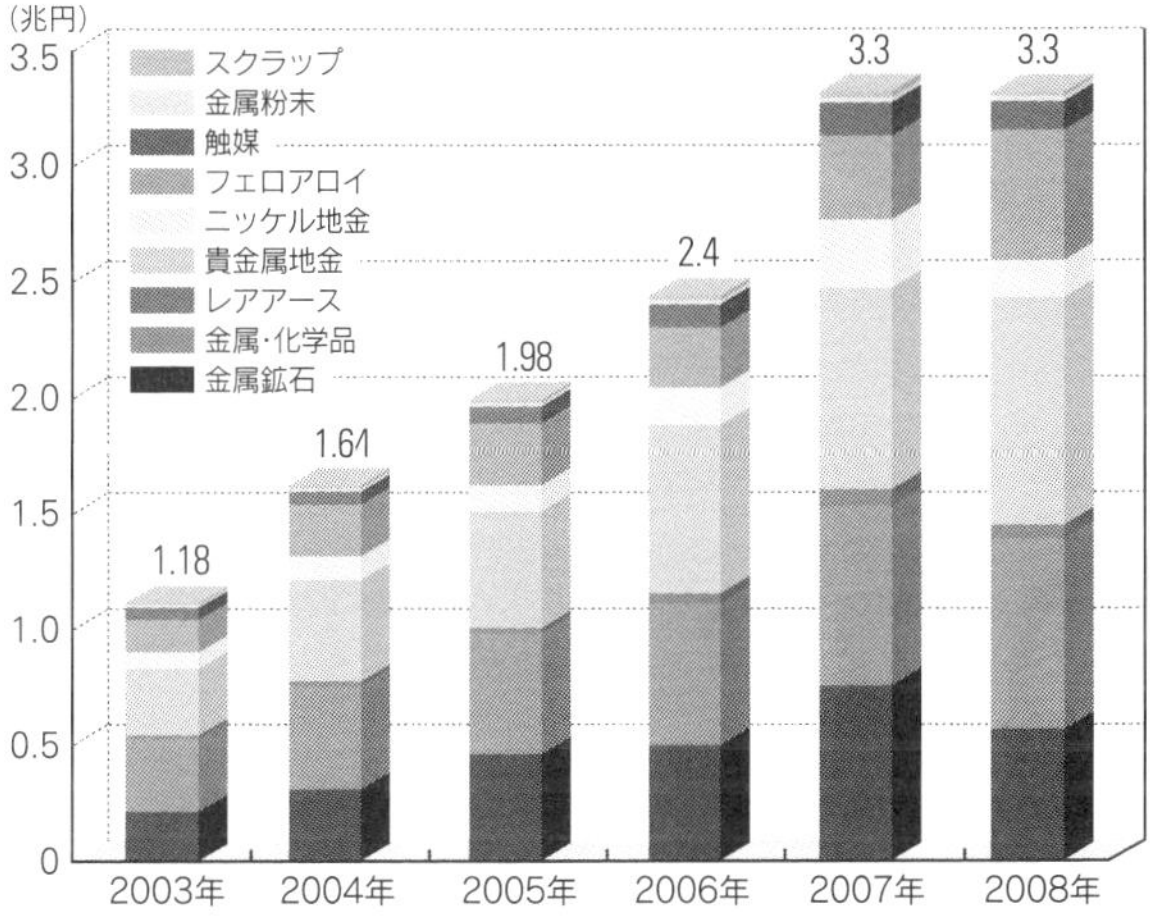

2008年度レアメタル市場構成

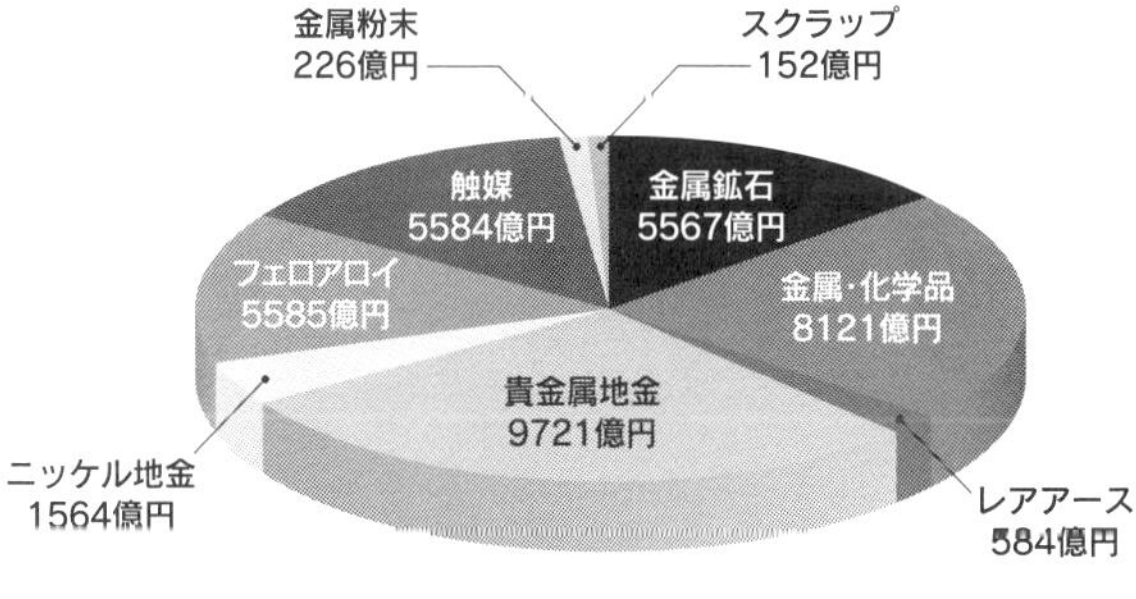

標高3700メートルに聳え立つポタラ宮

ポタラ宮の頂上でも携帯電話が使える

生活の必需品である。ましてやＢＲＩＣｓ諸国における、その普及率は急激に拡大している。

チベットの資源調査のため首都ラサを訪問した際も、街の中心に聳《そび》えるポタラ宮に参拝する巡礼者の左手には携帯電話があった。三七〇〇メートルの高山都市でも、通信塔を設置さえすれば数キロの通信はカバーできる時代である。

こうした世界規模で進むデジタル革命と経済発展により、レアメタルの市況はここ数年、パニック的様相で高騰してきた。

もう一つ見落としてならないのが、レアメタルの市場的特徴である。市場が小さく、供給ソースが限られているため、投機や操作が簡単に行われやすい特徴を有している。市場動向を先読みしやすく、潤沢な資金さえ持っていれば、投機や操作が容易にできてしまう。価格の低迷時に、市場を高値誘導するため故意に売り惜しみをしたり、逆に需要家が買い惜しみしたりすることもある。その結果、価格が短期間で数倍に高騰したり、その反動で暴落したりを繰り返すことが頻繁に起きる。

国家による規制や関税障害の影響も受けやすい。

二〇〇四年頃からレアメタルの価格が軒並み高騰する、いわゆるレアメタル・パニック

中央アジアの秘密のレアメタル工場

と呼ばれる現象が起きた。その背景には、資源のある発展途上国が、自国の産業振興の観点から原料を売り惜しみする傾向が強くなってきた側面もある。

中国の資源政策を甘くみた戦略なき日本

特に日本に影響を及ぼしたのが隣の資源大国、中国の資源政策の方向転換であった。

二〇〇六年に中国が発表した経済政策中期五カ年計画には、レアメタルの対外貿易を抑制すると明記されている。さらに中国はアフリカ諸国などレアメタルの豊富な地域に向けて戦略的政策を開始している。

かつての中国は資源を輸出しなければ食料を購入できず、正に資源の飢餓輸出をしていた。しかし、昨今は資源を輸出する必要はなく、逆に資源を輸入する側に回っている。中国は国内産業の振興と国際的地位の向上に伴い、資源戦略の急展開を見せ始めたのである。

欧米諸国も資源の重要性については、非常によく認識している。

一九九一年のソ連崩壊、すなわち冷戦終結時に、中央アジア各国に対して資源投資を積極的に行い、中央アジアにおける資源利権の多くを支配してきた。

こうした動きのあることをしっかり認識した上で、日本は果たして資源戦争に生き残れるかどうかという視点を持つ必要がある。個々の対症療法的な対策も重要ではあるが、何よりも、資源問題を国家規模で発想できる視野を持ち、抜本策を講じて臨機応変に対処できる戦略を構築するべきである。

一方、各国が自国の国益のみを追求して保護政策を強める資源ナショナリズムの激化は、資源の乱開発による環境破壊を早めている。市況の高騰が投機を引き起こし、価格操作が日常化し、市場から落ちこぼれないようにと、資源の乱開発がさらに誘発される悪循環が、世界各地で拡がる危険性を秘めている。

レアメタル貧国日本が生きる道

日本経済は危機管理に弱いが、国家規模で危機を共有したときには「火事場の馬鹿力」を発揮する。石油ショック後、日本中が危機を感じ取り、空前の不況を何とか乗り切った経験を持っている。

二〇〇四年からのレアメタル・パニックの時は、あらゆるレアメタルの価格が暴騰、日本の産業界に危機感が広がった。金融バブルが崩壊し、資源価格も下がり、採掘権も入手しやすくなった今こそ、資源確保策をしっかり練るべきではないか。願ってもないチャンスが到来している。

日本は電子素材の世界シェアのうち六五パーセントを占有している。韓国、台湾、中国の企業は、日本から素材や部品が入手できなければ、薄型ＴＶや携帯電話などを生産できない。欧米の宇宙・航空機産業も、日本の機能性部材がなければ、ボーイング７８７もエアバスＡ３８０も生産できない。

それでも、日本は資源面で最大の弱みを抱えている。世界一消費している電子素材や部材の原料（すなわちレアメタル原料）を、一〇〇パーセント輸入に依存しているからだ。逆にいえば、これらの資源さえ自前で安定確保できれば、日本の産業界は正に「鬼に金棒」なのである。

日本人は危機を乗り切るとき強くなるが、全体が危機を共有するまで時間がかかる。わずか半年前にレアメタル・パニックによる資源インフラで大騒ぎをしていた需要家が、今や「喉元過ぎれば熱さ忘れる」のたとえ通り、資源問題にはまったく関心を示さなくなった。足下の在庫整理のことしか頭になく、戦略思考が欠如しているのである。

世界経済の覇権は、もはや米国から中国に移ったといっても過言ではない。今回の金融恐慌の後も、二桁に近い経済成長を続けている中国の爆食が再始動するのは時間の問題であり、上海万博に向けすでに中国経済は蠢動《しゅんどう》し始めている。その中国に、今の日本は資源調達を全面的に依存するしかない。

本書では、世界各地で今どのような資源戦争が繰り広げられているのか、その現状を、筆者の個人的経験談を交えながら報告するとともに、レアメタル市場で活躍するトレーダーたちを通して見るレアメタルと、その業界の特異性、そして今後の日本が取り組むべき環境技術戦略の方向性を示したい。

第一章 資源ナショナリズムに呑み込まれる日本

一九八四年、北京ですべてが始まった

北京の五月は景色もすっかり春めいてきて、街路樹のプラタナス（楊樹）から新緑が芽吹きだす。冬の春節前に伐採した樹高三メートルあたりの幹から、新芽が競うように何本も芽吹くのである。

定宿にしている京倫飯店から天安門広場までは、私の朝の散歩コースだ。一九八九年の天安門事件以前は交通量も少なく、当時の北京にはのどかな雰囲気が残っていた。が、朝の出勤時間だけは別だ。自転車の群れが途切れることなく続くので、信号が青になっても横断歩道を渡ることさえままならない状況である。

そんな北京の朝を三〇分も歩くと、多少は汗ばんでくる。空気が澄み渡っていて、気持ちの良い散歩であった。天安門広場を過ぎると、その先に大きな建物の威容が目に入ってくる。人民大会堂だ。

一九八四年五月、この人民大会堂で有色冶金工業部の設立式典があった。

それまでの中国では、対外貿易部の傘下にあった五金鉱産総公司が中心になってレアメタルや非鉄金属の輸出入を行っていた。しかし、一九八四年に有色金属工業部と冶金工業

部を合併して、レアメタルの対外輸出を一本化することになったのである。

当時の中国のレアメタル対外貿易額は全体としてまだ小さかった。主に外貨獲得のための輸出に過ぎなかった。食料などを緊急輸入する際に、レアメタルを飢餓輸出することで外貨バランスを保っていた。

新会社第一号の契約者は日本人

式典が始まりお決まりの乾杯のあと、新規に設立された組織を代表して王崗総経理（社長）のスピーチが始まった。

「本日、皆さんに重大なニュースをお知らせします」

多少、緊張した面持ちで、王社長が喋り始めた。

「会場にご列席の日本代表、中村繁夫先生と本日、タングステンの長期契約として新会社第一号の契約サインを致します。中村先生！ 壇上に上がってください」

五〇〇人くらいの列席の政府要人や関係者たちが一斉に、第一号の契約を決めた日本人を注目した。この日本人とは、筆者のことである。当時、三〇代半ばであった私は、予想だにしなかった展開に驚きながら、ネクタイを直しつつ壇上へ上がった。

今考えてみると、この日の合併式典こそ、中国が国家方針としてレアメタルに力を入れ始めた起点であり、中国が世界最大のレアメタル大国に成長するであろうことを、筆者自身、確信した瞬間でもあった。

私は当時、専門商社、蝶理でレアメタルを担当していた。一九七九年以来中国と取引を続けてきた。有色金属工業部と冶金工業部という二つの巨大組織が合併するとは、すなわち、中国政府がレアメタルの輸出政策の一元化に本腰を入れることを意味した。

日本人が誰一人としてレアメタル・パニックを予測しなかった二〇年前に、大国中国はすでに資源の確保が国家繁栄のための最重要課題であると認識して資源対策を講じていたのである。日本は常に近視眼的な予測しかできないが、中国は逆だ。

歴史観が違うといえばそれまでであるが、その結果、八四年当時の日中貿易は日本への輸入が四〇〇〇億円、中国への輸出がわずか六〇〇〇億円だったのが、今では日本への輸入が一四兆円、中国への輸出が一二兆円に膨れ上がっている。対外貿易の増加に伴い、中国の外貨保有高は今や二兆ドル規模になり、世界最大の貿易黒字国に躍り出た。

無計画なレアメタル輸出から方針転換した中国

私が中国でレアメタル貿易に関わり始めたのは一九七九年のことである。外貨収入源として、中国はこの頃からタングステンや希土類、アンチモン、モリブデンといったレアメタルの対外輸出に踏み切った。文化大革命の傷跡が残っている時代で、工場内の管理体制も整っておらず、外貨収入源として輸出されたレアメタルのほとんどが品質クレームの対象になっていた。

安かろう悪かろうというイメージを払拭するため、嫌がる客を連れて、「とにかく現場に行きましょう」と中国の地方廻りをしたものだが、たいていが品質不良のクレームを現地の工場で解決することになった。

しかし今や、品質も改善された。中国のレアメタルがなければ、日本の電子分野や機能性材料分野は稼動しない。

実のところ、中国は基本的に資源輸入国である。レアメタル資源は例外中の例外で、たまたまタングステンや希土類、モリブデン、アンチモンなどが世界一の埋蔵量に恵まれたに過ぎないのである。一三億の人口を満足させるための資源は、基本的に不足しており、原油をはじめとして飼料作物に至るまで多くの資源を輸入せざるを得ないのが実体である。

九〇年代までは外貨獲得のために資源を飢餓輸出していたが、少なくとも八四年の時点で資源確保の重要性を認識した中国政府は二一世紀に入ってから明確に政策の舵取りをして内需中心経済に移行した。国内における過当競争をなくし、国際競争力を持った企業を集約し、産業構造の再編を目指すべく、経済力の強化策としてレアメタル輸出を見直し始めた。

色濃くなった中国の資源ナショナリズム

いつかは枯渇する貴重なレアメタル資源を年中、対外貿易用にバーゲンセールしていては、国内産業構造はいつまでたっても改善しない。輸出で資源を浪費すべきではないとの見方が強まった中国で、いわゆる資源ナショナリズムが政策に色濃く出始めた。

まず、中国政府は、企業が国外の資源を探査・開発して取り込むことを奨励強化し、アフリカやキューバ、そして南米に対してものすごいスピードで資源獲得争奪戦を始めた。アメリカが一九五〇年代にテキサスの石油採掘をやめてアラブに進出したのと同様である。

また、海外に進出する一方で、国内西部の甘粛省、チベット、青海省、新疆ウイグル自治区などで資源開発の探査を進めている。インフラ投資にコストがかかるため、中国は外国企業の技術と投資を呼び込むことにも力を注いでいる。そうした動きが、西部地域自治区への管理を強化した。

チベットの、三七〇〇メートル級の高地にある首都ラサまで立派な鉄道を敷いたのは資源開発を促進するためだった。チベット自治区や新疆ウイグル自治区の独立運動に中国政府が大変過敏になっているのは、そこに資源が存在するためである。

一方で、鉱物資源開発による環境汚染の保全対策はほとんど行われていない。西部の奥地に比べれば沿海地域では保全対策は比較的行われているが、日本と比べると雲泥の差である。国土が広過ぎるため実質的に管理しきれていないのと、今の経済発展のスピードの中で中国政府の環境に対する優先順位は低い。

輸出税の大幅アップ、そして輸出量の規制

さらに、中国が最大の世界シェアを誇るレアメタルのうち、タングステン、モリブデン、アンチモン、レアアースの付加価値を高めるよう、貿易政策の見直し強化を徹底化している。

例えば、レアメタルの委託加工禁止令が二〇〇六年一月に発令された。これは何を意味するかというと、それまで世界中の最も安い原料を中国に持ち込み加工することで大きな

利益を得ていた外国企業に対してそれを禁じ、国営企業に利益誘導する仕組みを作り出した。

また、還付税対策もとられた。〇四年に希土類の還付税率が下げられ、〇五年にインジウムとモリブデンが、〇六年にタングステンとアンチモンが、そして〇七年九月にはその他レアメタルのほとんどの還付税率が撤廃された。

同時に、輸出税を暫定的に原則五パーセント賦課することも決定した。その後も矢継ぎ早に商品別に一〇パーセントから一五パーセントに賦課する増税通達を出し、〇七年一月にはタングステンを五パーセントに、モリブデン、クロム、インジウムを一五パーセントに、〇七年六月には金属鉱石を一五パーセント、希土類酸化物を一〇パーセントに、そして〇八年一月からタングステンは五パーセントから一〇パーセントに、希土類の輸出税は一〇パーセントから何と二五パーセントに輸出税が増やされた。さらに今後は輸出禁止品目が決定される可能性もささやかれている。

輸出許可制度についても、国家発展改革委員会は〇七年一月には新規に四〇品目を決定し、フェロタングステンやモリブデン、インジウム、コバルト、貴金属やバナジウムが追加された。輸出するためには、中国政府からその都度、許可を得なくてはならない。

また、輸出数量の制限にも着手している。〇五年からタングステン、アンチモン、希土類、モリブデンなどの輸出量が規制され、その量は年々削減されている。

資源戦略が功を奏し黒字国家に転じる

例えばタングステンの場合、世界の過半を保有している中国がこうした輸出制限をすることで、市況が暴騰する。希土類やアンチモン、インジウム、モリブデンなどほぼすべてのレアメタルも例外なく、世界同時金融恐慌が勃発するまでの数年間で四倍から五倍に値上がりし、資源貧国日本の生命線を脅かしてきたのである。

中国が資源ナショナリズムに走る背景は、いくつか考えられる。

第一に人口に比べて資源量が少ないことが挙げられる。

第二に国際競争力の強化が挙げられる。中国は安い人件費と人民元の実質的な固定相場制で国際競争力を維持してきた。しかし人件費が上昇し始め、人民元に対しても切り上げ圧力がかかるなかで、国際競争力を強化するためには資源を高付加価値化した上で輸出する必要が出てきた。

第三に中央政府の財政立て直しがある。中国では地方分権化を徹底的に進めた結果、中

北京で開催されたレアメタル国際会議にて

央の財政がかなり疲弊してきている。また民間企業の経営状況は良くなってきているが、国有企業は利益がほとんど出ていない。よって輸出税をかけることで国営企業を支援する目的もある。

第四に外交カードとしてレアメタルを利用している側面が挙げられる。ロシアが天然ガスを外交カードに使っているのと同様、特に日本に対する外交カードとしてレアメタルの利用価値が高いと見ている節がある。

こうした方策の下、中国経済は驚異的に成長した。例えば貿易黒字は二〇〇六年ベースで二〇〇〇億ドルを突破し、今や累計で二兆ドル以上の大黒字である。レアメタルを対外輸出する必然性はまったくなくなった。

欧米は中国に元切り上げを求めているが、切り上げれば中国の軽工業輸出は破綻し、社会不安につながる。ただでさえ少数民族問題を抱えている中国政府にとって、革命騒ぎは最も憂慮すべき問題である。そう簡単に元の切り上げ政策に出るわけにはいかない。

資源政策は中国に成長をもたらしたのである。

中国のトップは資源問題に精通

こうした国家戦略は、資源に詳しい政府要人たちの存在抜きでは語れない。

中国の政治局員九名のうち八名が技術系で、資源問題に精通している。

胡錦濤国家主席は清華大学水利工程科出身、呉邦国全人代常務は清華大学無線電子科出身、温家宝首相は北京大学地質科の出身、賈慶林政治協商会議主席は河北工学院電力科の出身、李長春広東省党委員会書記はハルピン工科大学電気出身、習近平共産党上海市委員会書記は清華大学化学科出身、周永康中央書記処書記は北京石油学院資源探査出身、賀国強中央書記処書記は北京化工学院無機化学の出身である。ポスト胡錦濤といわれている李克強氏（経済学博士）以外は全員技術系の出身である。こうした政治局員の布陣が中国特有の資源ナショナリズムを推奨しているのである。

近年特に積極的なアフリカ進出に乗り出していると前述したが、胡錦濤主席は過去五年間毎年アフリカを訪問している。

日本の国家元首で、かつてアフリカ諸国を歴訪した元首がいただろうか？

日本がかつて中国にいくら援助しても感謝すらされなかったが、アフリカは中国に対して感謝を通り越して、いまや中国に言われるままである。

裕福になった中国にとってアフリカ諸国への援助は国連における数の優位性を期待しているようにも見える。もしも日本が豊かな中国にODA支援をせずに直接アフリカ諸国に支援をしていたら、いま頃国連安全保障理事会の常任理事国になっていたかもしれない。

トヨタの奥田相談役が「資源外交協議会」を緊急招集

東京・赤坂見附の駅から紀尾井町ビルまでは徒歩で六〜七分ぐらいかかる。二〇〇七年三月一三日の早朝、私は紀尾井町ビルに向かった。レアメタルの対中政策について緊急会議があるので話して欲しいと、資源エネルギー庁の鉱業課長から依頼を受けたのである。

絶対に遅刻しないようにと厳命されていたため、息を切らせながら早足で急ぐのだが、思ったよりも遠い。ホテルニューオータニと清水谷公園を抜けて坂を越えると参議院議員宿舎が見えてくる。その右手に紀尾井町ビルがあった。

なぜこんなに朝早くから緊急会議が招集されるのかといぶかしげに思いながら会場に入ると、すでに四〇名以上の参加者が集まっていた。「資源外交懇話会」と題された参加者の名簿を見て驚いた。行政の上級官僚や経団連の代表幹部をはじめとする要人が揃っている。

東電の勝俣恒久社長、ＮＥＸＩの今野秀洋理事長、みずほコーポレート銀行の齋藤宏頭取、国際協力銀行の篠沢恭助総裁、朝日新聞の船橋洋一特別編集委員、三菱商事の増田幸央常任顧問、国際石油開発の松尾邦彦会長、資源エネルギー庁の望月晴文長官、同庁の岩井良行資源部長、そして発起人であるトヨタの奥田碩相談役、新日鉄の今井敬相談役名誉会長のメンバー各位が、その懇話会の主要メンバーであった。

こうしたメンバーに加えて、各社からの随行員や財務省、経産省の担当部門の実務メンバーを入れると総勢五〇名から六〇名の会議であった。

レアメタル・パニックへの対応策

五月に中国の温家宝首相が来日するのに先立ち、レアメタルの安定供給に関する緊急対

中国依存度の高い危険元素

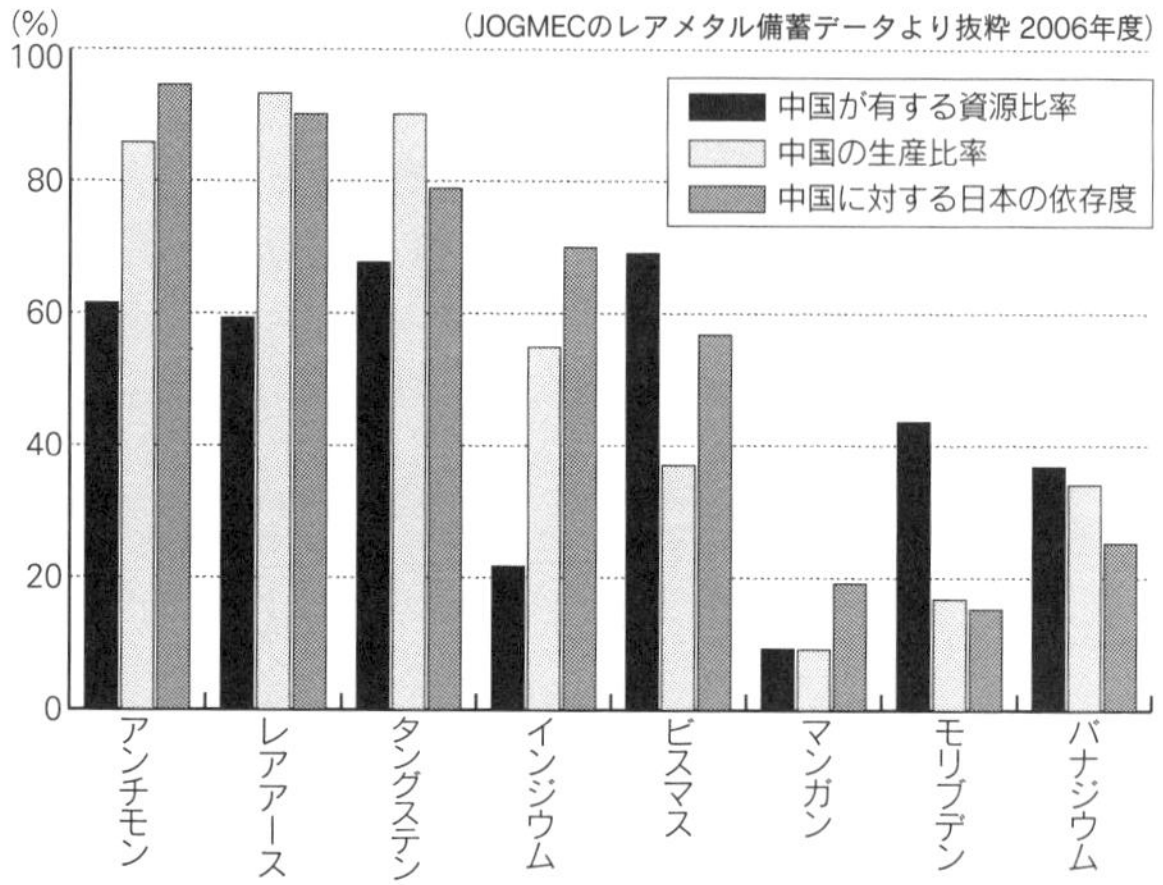

(JOGMECのレアメタル備蓄データより抜粋 2006年度)

策会議であるとのことだった。私に与えられた演題は「中国の資源ナショナリズムとレアメタル・パニックへの対応策」であった。

レアメタルをめぐる中国との関係において、当時の日本が直面していた一番の問題は、中国がレアメタルを出し渋っていたことにある。ここ数年間で中国の資源・貿易政策が変化してきた過程とその内容について説明した。わが国の電子材料や機能性材料の素原料がいかに中国に依存しているかを、そして自動車産業やエレクトロニクス産業にとって脱中国戦略を含む抜本策が必須であると提言した。

具体的に、日本が直面している課題は、その供給を全面的に中国に頼っているタングステン、レアアース、インジウム、プラチナ、バナジウムといった五元素を安定供給できるような方策をひねり出すことであった。

例えばタングステンは超硬工具、レアアースは希土類磁石や二次電池、インジウムは薄型テレビ用の透明電極に、プラチナとバナジウムは自動車用排ガス触媒に不可欠な元素である。

こうした元素の安定供給が得られなければ、日本の電子産業や自動車産業は決定的なダメージを受けるだろう。そうした事態を回避するためにも、資源外交に本腰を入れる必要性を説いた。

また、安定確保の観点から最も危険視されているのが磁性材料である。磁性材料の原料はネオジム、鉄、ボロンといった希土類で、高温特性を持つこうした磁石がハイブリッド車の制御部分やニッケル水素電池を作るために必要不可欠だ。日本はこれらもほぼ一〇〇パーセントを中国からの供給に依存しているのだ。なかでもディスプロシウムが特に入手困難に陥っており、まさにこうした超希少性元素を巡って資源争奪戦が起きているのである。

実は、希土類原料を安定確保するため、日本の経産省は二〇〇七年にも日中レアアース交流会を計画していた。しかし中国側は開催直前にドタキャンした。希土類の安定供給を約束する場を持ちたくなかったからである。

磁性材料は産業にとって非常に重要な素材であり、その素原料を確保していないことは、日本の安全保障問題に鑑みてもきわめて危険といえる。

「侵略」か「支援」か、対アフリカ資源外交

中国のやり口とはこうだ。

胡錦濤主席がアフリカ諸国に平和親善使節の代表としてまず訪問する。次は温家宝首相が支援に対する美しいスローガンを残す。そして優秀な外交部幹部が支援額を決定し、資源開発協力を約束する。国有企業の技術者が技術を、財務部の幹部が国家資金を供与する。この間のスピードは迅速である。その点、日本の外交と大きく異なる。

さらに、問題はその後だ。低賃金の労働者が送り込まれる。中国では食い詰めた労働者も多いと聞く。海外に派遣するための教育などは二の次だから、労働力の水準が高いとは決していえない。しかし、現地のアフリカ人を雇用するよりいいと、雇用側も不平はいわない。ある情報によれば、アフリカに定住する中国労働者の中には旅券を持たずにアフリカ送りになった政治犯も多くいるらしい。もしそれが事実ならば、彼らは祖国に帰れない

からアフリカに根を張らざるを得ないはずだ。資金の提供、武器輸出、格安の中国製生活必需品、そして格安の労働力さえ中国から持ち込まれるのである。

こうして中国は支援の見返りと称して、アフリカの資源を根こそぎ中国に持って帰る。アフリカの貧困に苦しむ人々にとって、仕事の場が増えるわけでは決してない。

アフリカ人はこう呟く。

「これは国家間支援ではない。単なる国家侵略ではないのか？」

かつてベルギーがアフリカ産コバルトの多くを押さえていたが、今や中国が取って代わって支配しているといっても過言ではない。中国国内ではほとんど採れないコバルトを、中国はアフリカに「侵略」することで手に入れたのである。

中国は何故アフリカにこだわる？

距離も遠く文化も違うアフリカに、中国はなぜここまでこだわるのであろうか？

一九七一年のアルバニア決議（中華民国から中国に代表権が移行決議された）以来、中国は厳しい経済環境にもかかわらず、アフリカに莫大なＯＤＡ支援を続けてきた。その目的の一つは、国連安保理常任理事国入りを果たすことであった。聞くところによれば、日本の対中ODA無償援助のすべてをそのままアフリカに流していたとの話もある。結果、中国は常任理事国入りしアフリカ諸国の支持をとりつけている。一方の日本はご存知の通り、未だ常任理事国でさえない。アメリカに次いで国連予算の一九パーセントを負担しているにもかかわらずだ。常任理事国であるイギリス、フランス、ロシア、中国の負担総額よりも、日本は多く負担している。

アフリカの人々にとって、日本のODAは顔が見えない。それが一番の問題だ。中国は資金を供与し、生活必需品を送り、インフラを整備し、武器を送り、技術を教え、安い人件費の中国人労働者まで送り続けている。その見返りに国連では発言権を強め、そしてあらゆる資源をアフリカから持ち帰るのである。

さて過去数年、コバルトの国際価格が暴騰と暴落を繰り返すなか、中国国内のコバルト市況は比較的安定価格で取引されている。日欧米が扱えないような砒素含有量の多いコバルト精鉱を世界一安値で大量に輸入しており、環境と安全性を犠牲にしてでもコバルト市場において競争力をつけてきたのだ。そのうちに、世界のコバルト市況を決めるのは、アフリカの供給基地を押さえた中国になるかもしれない。また、中国はクロムなどあらゆるレアメタルの輸入にも力を入れている。

中国はどこまで貪欲にレアメタルを押さえにかかるのか。すでにアフリカ諸国では対中アレルギーが強まっている。旧アフリカ宗主国であった欧州諸国はさらに複雑な反応を示している。そして一番の問題は、そうした中国の動きに対して、「極楽とんぼ」と呼ばれている日本が何の対抗策も持っていないことだろう。

欧米諸国にとってアフリカ諸国はかつての植民地であり、自らの裏庭だった。昔、私がアフリカの資源を確保しようと試みた際、ナイジェリアのタンタル・ルートはイギリスとオランダの商人によって押さえられ、コンゴやザンビアのコバルト・ルートはベルギーやフランス系商社が独占していた。しかし現在ではそうした縄張りに、我がもの顔に跳梁《ちょうりょう》跋扈《ばっこ》する中国人の姿を見る。

内戦中のコンゴ共和国にはすでに二万人以上の中国人が駐在しているのだ。

国家政策と投機筋の駆け引き

環境問題や鉱山事故が、ここ数年の間、資源戦略ないしはその国家の政策の引き金になるケースも散見される。

特に環境問題については、地球規模で問題視されており当然、自国の資源政策に対する影響度は高いといえる。また、中国においては、需要の急激な増大による乱掘、盗掘といった鉱山の採掘が原因となって悲しい鉱山事故も多く起こっている。

鉱山事故が起これば必ず投機の動きが派生的に生まれてくる。鉱山事故や環境問題により政府が生産に規制をかけてくることを先取りした投機筋が、価格の乱高下を予測しながら売り惜しみを演出し、価格を操作し始めるのである。

こういった取引の中で国家が資源戦略を決定する場合、投機的な動きを先取りする需要供給バランスが起こりうる。さらにそのリスクの振幅は増幅すると考えるべきである。

政府機関のこうした人為的な貿易政策が国際市場を混乱させるケースが増加している。特に中国の資源戦略における、時として秩序のない朝令暮改の政策が対外貿易市場を混乱させる場合が多い。中国や旧ソ連諸国については、産業ならびに貿易政策は例外が多いため変更が多く、そのインサイダー情報が必ず市場における投機や操作を誘導しやすいといった現象が見られる。

中国人は、簡単に企業秘密を話してしまう。企業家にとってインサイダー取引規制は最も注意しなければならないのに、「そんな一級情報を開示して大丈夫ですか？」と、こちらの方が反対に心配してしまうほどだ。従ってインサイダー取引なんか当たり前の話で、儲け話に乗るかどうかは、相手に資金があるかないかだ、とさえいわれている。政府の高級幹部ですら、気前良く一級情報をくれるから始末に悪い。

そもそも、早耳筋やちょうちんをつける中国の投機筋は政府系の企業であることが多い。政府系でなくても国有企業の子会社や関係会社であったりするから、どうしようもない。

キューバを変革するのはオバマか中国か?

アフリカだけではない。中国は中南米にも進出している。

カリブ海の社会主義国家キューバは歴史的に中国と友好的である。キューバの政治経済状況も、過去五年の間で大変なスピードで変化した。カストロ首相が健康を理由に弟のラウル・カストロに実権を譲る一方で、ニッケル市況が高騰し、二〇〇七年まで絶好調であった。キューバのニッケル資源が世界でトップクラスであるのは業界では有名な話だが、アメリカにとって事情は少々複雑だ。

キューバで採れるニッケルとコバルト資源の所有権は、もともとアメリカ資本のウエスタンレッド社が有していた。それがキューバ革命で接収されたため、アメリカはヘルムズ・バートン法で対抗した。ヘルムズ・バートン法とは、キューバ革命時に接収された財産を利用する企業に対して損害賠償請求権を米国に与えるとする米国の法律である。キューバ向け送金の制限やニッケル輸出品の米国向け再輸出の禁止条項が含まれており、いってみればキューバに対するアメリカの経済制裁である。アメリカはキューバを経済封鎖するだけでなく、キューバのあらゆる資源について、米国に迂回輸出する企業に対して強硬措置で対抗するとした。

日本は米国を慮《おもんぱか》り、律儀にもキューバからのニッケル輸入を取りやめたが、欧州各国はカナダの合弁企業経由で輸入し続けている。韓国や台湾も同様である。実のところ、ヘルムズ・バートン法を遵守しているのは世界で唯一日本だけなのである。

そのニッケル市況が上昇を始めたのが二〇〇六年のことだ。キューバ・ニッケルの直取引の三分の二を中国政府が押さえた年でもある。

中国の資源確保の戦略は実にしたたかだ。チャベス大統領率いるベネズエラなどを中心に、左傾化、嫌米化が進む南米各国を上手に取り込んでいる。

さて、オバマ・アメリカ大統領はこうした状況にどう対応していくか。新しい「チェンジ」が起こる雰囲気が高まってきている。キューバにとってブッシュ大統領は不倶戴天の敵であったが、新大統領には変化の期待を寄せている。

世界同時金融危機はアメリカ金融システムの崩壊を意味するが、沈んでいくアメリカと浮かび上がってきた中国の覇権の戦いが顕在化する舞台がキューバになるかもしれない。

中国を手なずける欧米の外交手腕

米国は人権問題を、欧州各国は環境問題を外交上の論点にすることで、中国の資源ナショナリズムに対して圧力をかけている。台湾・チベット問題、食品汚染問題を、欧米諸国が必要以上に騒ぐのも、中国の資源ナショナリズムを牽制するためである。

日本政府が直接話法で資源の囲い込みを問題視するのに比べて、間接的に貿易政策の非をなじる欧米外交筋の手腕は評価できる。貿易政策に口を出せば内政干渉になるが、環境や人権問題で中国を追い詰め、実利を求める外交戦略は功を奏している。

中国は攻めの交渉には強いが、守りの交渉には意外に脆いところがある。欧州筋は中国がいくら環境問題に注力しても管理できないと知りながら、世界中の世論が中国の環境に注目していると繰り返し突くのである。発展途上国にとって環境問題は後ろ向きの「金食い虫」で、体力を消耗させる。まして広大な国土を持っている大国にとっては頭痛の種である。

中国が最も死守したい最重要案件は当然、台湾問題とチベット問題だ。欧米諸国はこれらの案件を小出しにしながら、経済上の見返りを確実に掌中に取り込むのである。レアメタルを外交カードに使い始めた中国に対して、欧米諸国は資源戦争を別の視点で回避しようとしている。

一番中国に近い、そして中国に依存度の高い日本は、何の対応策も講じないまま、中国にやりたいようにされてよいのだろうか。

資源の重要性をよく認識している欧米諸国は、一九九一年のソ連崩壊、すなわち冷戦終結以来、ロシアや中央アジア各国に対して資源投資を積極的に行っている。各国が全力で資源政策に取り組むなか、日本の無政策、無戦略ぶりが際立つばかりだ。

北朝鮮は地下資源の宝庫

中国の東北地域、吉林省には多くの朝鮮族が住んでいる。北京に働きに出ている者も多い。当社の北京支店にも吉林省出身者が働いているので、朝鮮族情報を聞く機会がある。

二〇〇七年前半に予定されていた日本や北朝鮮、中国、アメリカなどで構成する六カ国協議は、中国の不参加のために突然中止となった。同時期に、中国企業が北朝鮮のレアメタル資源の採掘権を取得するという情報が入ってきた。

中国にとって資源の確保は最重要課題である。〇八年になってニューズウィーク誌が北朝鮮の資源を巡る中国の動きをすっぱぬいている。

日本外務省も資源問題の専門家を投入して、早い時期に北朝鮮の資源に着手すべきである。朝鮮半島の地下資源の分布を見ると、七〇パーセント以上の鉱物資源が北朝鮮地域に偏在している。

日本統治時代、朝鮮半島には六つのマグネシウム工場が稼働していた。日窒マグネシウム興南工場、朝鮮軽金属鎮南浦工場、三菱マグネシウム工業鎮南浦工場、朝鮮神鋼新義州工場、朝日軽金属岐陽工場、三井油脂工業三陟工場である。このうち三井の三陟工場を除く五つは、現在の北朝鮮地域に存在していた。金属マグネシウム生産の原料となるマグネサイトが、朝鮮半島北部に豊富に埋蔵されていたからである。特に三菱マグネシウム工業鎮南浦工場は日本一の生産能力を誇り、その技術力は当時、世界随一であったと報告されている。

また、朝鮮半島北部には多くのタングステンが埋蔵されており、特に黄海道にその六〇パーセントが分布している。昭和一〇年代後半には、軍需産業の要請から朝鮮半島ではゴールドラッシュならぬタングステン・ラッシュが発生した。戦時には、特殊鋼の増産こそが軍需産業の骨格であるとして、小林鉱業が朝鮮北部で採鉱から精錬、加工までを一手に引き受けていた。

またモリブデンも、タングステンと同様に北朝鮮に有望鉱山が存在する。有名なのは金剛山と黄海道の天恵鉱山である。現在、北朝鮮と韓国が合同で観光事業の要として金剛山を開発しているが、その金剛山も有望なタングステン鉱山で、タングステンとモリブデンが豊富に存在するのである。

大韓重石（コリアン・タングステン）も三八度線に近い場所に鉱山を持っている。三八度線上にはいくつもの鉱区があるのだ。

なぜ韓国政府が赤字続きの「金剛山観光開発」に拘泥するのか、太陽政策の本当の狙いは資源の共同開発ではないか。これは筆者の観測である。

北朝鮮の希土類資源が中国の手中に落ちる時

北朝鮮江原道平康郡にはタンタルも眠っている。

二〇〇五年に韓国の大韓鉱業振興公社と北の民族経済協力連合会が共同で、江原道のタンタルを共同探査すると発表したが、これが開発できればアフリカの危険地域から輸入する必要もなくなる。

最も期待される資源は希土類資源である。中国に完全に支配されている希土類が北朝鮮から豊富に供給できれば、日本の産業界にとって願ってもないことだ。

北朝鮮に希土類が豊富に埋蔵されていることが判明したのは、朝鮮総督府の地下資源探査によってであった。日本窒素肥料は映画や青写真、医療用に使われるアークカーボンの製造に必要なフッ化セリウムの生産のために、平安北道鉄山のモナザイト開発を手掛けていた。モナザイトには様々な希土類元素が含まれているのだ。

北朝鮮は一九九一年四月、在日企業との合弁で、咸鏡南道咸興市に「国際化学合弁会社」を発足し操業を始めたが、残念ながら、この合弁会社のその後の具体的な動きに関する話は耳にしたことがない。

わが国が北朝鮮の希土類生産に注目する必要があるのは、このまま放置すれば、こうした北朝鮮の希土類産業が丸ごと中国に押さえられてしまう恐れがあるからだ。「国際化学合弁会社」の現状把握は日本にとって、重要な国家戦略となるはずだ。

北朝鮮には含ニッケル鉱も存在する。咸鏡南道に七鉱区、江原道には四鉱区ある。戦時、ニッケルは特殊鋼の生産に欠かせない有用金属であった。戦前のデータは残っているものの、現状に関しては不明である。

ペレストロイカとグラスノスチが鉱山訪問の追い風

私がロシア貿易を始めたのは一九八九年の秋のことだった。同年の六月に中国で起こった天安門事件で中国に嫌気がさして、ソビエト連邦のレアメタル取引に傾倒していったのである。

当時勤めていた蝶理のモスクワ支店は赤の広場から近い、プーシキンスカヤ通りの九番地にあった。事務所は、ロシア革命以前の帝政ロシア時代の伝統的な建物に入っていた。天井が高く、重厚で落ち着いた造りであった。

駐在員と現地スタッフを入れると二〇人近くが働いていた。瀟洒な佇まいの支店長室には、公団（ソ連政府の企業）の最高幹部がしばしば訪れ、自前のコックが作る食事をしながら商談した。

テクスナブエクスポルト（レアメタル専門公団）やラズノエクスポルト（ニッケル輸出公団）、アルマズ（貴金属輸出公団）などが、主な交渉相手であった。ペレストロイカ

ロシアのレアメタル資源

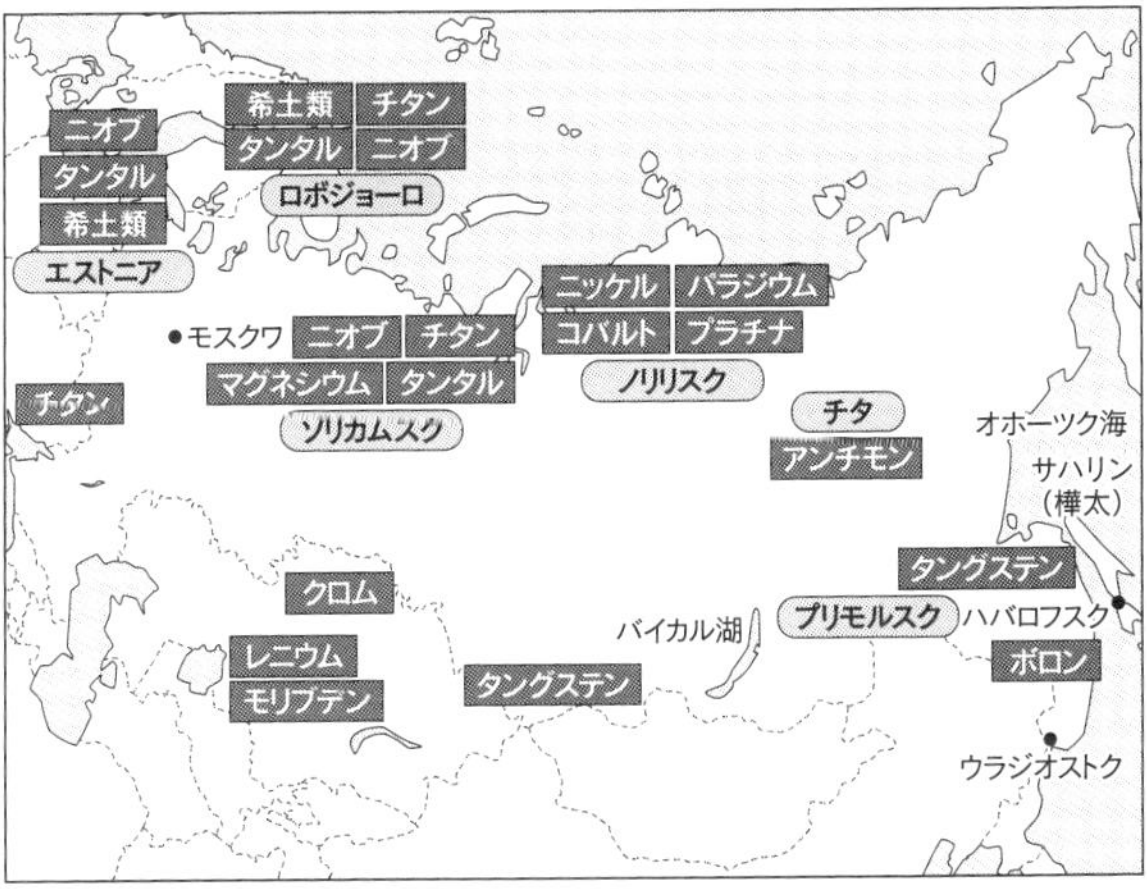

（改革）の影響でソ連の経済環境は徐々に劣化していたが、それでも資源大国の余裕からか、交渉に関してはどの相手も強気の姿勢を崩さなかった。

私が当時興味を持っていたのはフェロクロムとスポンジ・チタン、そしてマグネシウムだった。クロムの世界埋蔵量の六一％はカザフスタンに賦存する。本来であればカザフスタンの工場を視察して現地で取引交渉をしたいところだったが、当時のソ連は中央集権体制のため、すべての商談をモスクワで行っていた。当時クロムの取引窓口はモスクワに本部のあるラズノインポルト（非鉄金属公団）という国営企業であった。工場視察の申請を何度もしたが許可は下りず、また、チタン工場を見学したいという希望も軍需専門分野に属するという理由で許されなかった。

初の日本人として世界最大のドンスコイ・クロム鉱山と東カザフ州のスポンジ・チタン工場の訪問が実現したのは、それから一年がかりの交渉の末だった。グラスノスチ（情報公開）の動きが追い風となった。

命がけで飛び込んだ中央アジア資源戦争

一九九〇年になると、ずいぶん状況も好転した。カザフスタンのアルマータに事務所を設置することに許可が下りた。日本商社第一号であった。とはいえ、そこから先が、そう簡単に進まなかった。モスクワの公団からカザフの産業省に話はついていたものの、公安局から地方都市ビザが下りないのである。下りるまで、アルマータのオトラルホテルで待機するしかなかった。

事務所では目つきの鋭い、KGB上がりのセルゲイという人物をスタッフとして雇った。彼を連日公安局にビザの交渉に行かせ、その間やることのない私はホテルの入り口に設えられたバルコニーでビールを飲んで時間をつぶした。ホテルには薔薇の花を売りに来るカザフ人の若い娘や学生たちがたむろしていた。アルマータの六月はトーポリの綿毛（クフ

ロシアのプリモルスク・タングステン鉱山

と呼ばれていた）が街に舞っていたので、ホテルの前の公園はまるで雪が降っているような錯覚に囚われた。

数日様子を見たものの、状況は変わらない。限られた日程で公安局の許可を得るために、結局奥の手を使うしかなかった。一〇〇ドル札を何人もの役人に握らせ、セルゲイはようやくビザを入手してきたのである。一〇〇ドルは、現地では当時給料一カ月分の価値があった。

アクチェビンスク州のクロム鉱山に訪問したのは、それからしばらく経ってからのことだ。鉱山から供給されたクロム鉱石はカザフのアクチェビンスク精錬工場で処理されてから、ロシアにフェロクロムとして供給されていた。

現地訪問が実現し、対日輸出のチャンスが巡ってきたので、直接の輸出代理権を取得するためカザフ政府産業省に掛け合った。その時には東カザフ州のウスチカメノゴルスク市からスポンジ・チタンの輸入をすでに始めていた。クロム・ビジネスは行き掛けの駄賃のような気持ちであった。が、このクロム・ビジネスこそ、ロシア・マフィアからイラク・マフィアまでが血で血を洗うような蛇とマングースの戦場だったのである。

クロムの輸出利権はＡＩＯＣというユダヤ系のトレーダーがすべて押さえているという。仕方なくこのＡＩＯＣ経由で交渉を始めた。が、交渉するうちに、ＡＩＯＣの工場は、いつのまにかトランスワールドという会社にすべて買収され、ＡＩＯＣの幹部は次々と不審な事故で亡くなっていった。最終的にＡＩＯＣ副社長までが暗殺され、結果的にＡＩＯＣはトランスワールドに乗っ取られた形となった。

資源争奪戦の前線で

一九九〇年代前半のロシアは最も治安が悪く、事件は日常茶飯事のため、このＡＩＯＣ乗っ取り事件はニュースにもならなかった。トランスワールドが経営権を握った時、その資金主はイラクの故フセイン大統領であるという噂も流れた。なかなか真実味があったように思う。

その後、トランスワールドからカザフの民族資本であるミレニアム社に経営権が移行するまでの一時期、ジャパンクロムという会社が設立されたことがあった。九〇年代後半のことである。日本の大手商社（三井物産）と非鉄企業（三井金属鉱業）が資金援助したといわれているが、果せるかな、社長は日本人で鈴木さんという人だった。

鈴木さんは、ベルギーの首都ブリュッセルで田川という日本料理店を経営していた人物で、私も欧州出張の時何度か訪れて面識があった。ところが会社設立直後、今度はこの鈴木さんも不審な交通事故で亡くなってしまったのである。

次々に起こる不可解な事故や不審な事件に怖くなり、またチタン・ビジネスが本格的に忙しくなったため、私はクロム・ビジネスと距離を置いた。「命あっての物種」と思ったものだ。英語で言えば「While there is life, there is hope.」といったところか。

鈴木社長の死により、結局ジャパンクロム社も自然壊滅してしまった。

九〇年代のロシアやカザフは、正に資源争奪戦の前線そのもので、本当にいろいろなことが起きた。

二一世紀に入り、トランスワールドの経営権は裁判を経てカザフ資本のミレニアム社に移行し、ようやく落ち着きを取り戻した。

大国ロシアの強引とも言える国営化政策

日本の隣国ロシアは豊かなレアメタル資源に恵まれているが、残念ながら日本とロシアとの間で資源外交はあまり進んでいない。ロシアとの政治外交チャンネルが確保されておらず人材も不足していることから、今後も難しいのではないかと思われる。

ロシア、特にシベリアから極東にかけては未知数といってよいほどのレアメタル資源が埋まっている。すでに巨大非鉄メジャーが活発に関与する状況にある。

また、ロシア政府自体が資源ナショナリズムに基づく保護主義傾向の強い政策をとり始めている。例えば、レアメタル等の戦略的鉱床の半分以上がロシア企業による権益保持を条件とするようになった。外国企業は大規模開発の入札ができなくなってしまった。

こうしたロシアのやり方には、旧ソビエト社会主義支配体制の名残が感じられる。

ロシアの民主化が進んだので普通の国になったと思い違いをして資源開発の資金を請け負った日本の商社が数千億円の利益を毀損されたという話も聞いた。また、世界有数の石油メジャー、ロイヤルダッチ・シェルの場合、権益を前触れなく剝奪され、しかも環境問題で言いがかりを付けられて交渉の余地も与えられなかったそうだ。

レアメタル販売に陰りが出、民間企業の資金繰りが悪化した時には、政府は企業に融資する見返りとして資本の供出と役員の派遣を迫っている。民間企業も国家が強引に管理してしまうのだ。ロシア政府の資源管理の手法は、なんとも強引だ。メドベージェソ大統領もプーチン前大統領のこうした資源政策を踏襲している。

大国の三大条件は人口と軍事力と資源だ。エネルギー資源の国有化で成功を収めたロシアが次に獲得を目指すのは鉱物資源である。プーチン前大統領が高い経済成長と国民に向けての強いナショナリズムを訴え支持されたことを背景に、ロシアはさらに強権国家となっていくように見える。日本は、そうした隣国とどう付き合っていくのか、今後の課題である。

資源に群がる国家権力

これまでに私は六〇回以上カザフスタンを訪問している。

元首都アルマトイに事務所を開いていた際は日本大使館の代行で政府との連絡業務も担

っていた。従ってカザフの行政における人脈も豊富になった。

一九九三年からODA案件を追いかけたが、カザフ政府との交渉では大変苦労させられた。

二〇〇七年四月、当時の甘利明経済産業大臣が中央アジアを訪問した際、ようやくカザフのウラン長期契約に成功したが、これは日本の資源外交の歴史において久々のヒットであった。カマルディノフ駐日カザフ大使閣下はじめ経産省の関係者はさぞやご苦労されたことと思う。

そもそも、〇六年に小泉元首相が退陣直前に敢行したカザフ訪問を、総理の卒業旅行と揶揄する評論家もいたが、小泉外交は原子力エネルギー政策の地ならしをしに行ったように、私は見ている。

カザフのウラン産業はロシアの原子力行政と密接な関係がある。日本がカザフとウランの長期安定契約を結ぶとは、いわばロシアの頭越しに中央アジア外交を推進することを意味する。ロシアを抑制する複雑外交を小泉・甘利で実現したのではないか。

中国への過度な資源依存からの脱却を図りながらも、安定資源調達先としてロシアを当てにはできない。日本は今後も中央アジアとの関係をより深めていく必要が確かにある。

一方でカザフスタンにおいても地下資源法の改正により自国に開発の優先権を認める法案が可決されている。探鉱権や開発権について政府介入を認める法案も可決された。資源ナショナリズムの動向は厳しくなることはあっても、緩みはしない。どの国家も権益確保に懸命なのである。

中央アジアは石油やレアメタル資源の宝庫

一九九一年に旧ソ連から独立して以来、中央アジアほど資源開発で潤った国家はない。石油は中東以上の埋蔵量が確認されているし、ウランをはじめ、あらゆる金属資源が豊富に存在する国家群である。

例えば、カザフスタンにはクロムやチタニウムなど、幾種類ものレアメタルが眠っている。キルギスには希土類資源やアンチモンなどがある。ウズベキスタンには金鉱山以外に銅鉱山やウランがあり、タジキスタンにはモリブデン、アンチモンがある。

こうした資源大国において、懸念事項は民主主義が根付いていないことである。二〇〇七年にキルギス共和国で行われた大統領選挙では現職のバキエフ大統領が圧勝した。この国の議会は全国の選挙区で〇・五パーセント以上獲得しなかった政党には議席を与えない

中央アジアのレアメタル資源

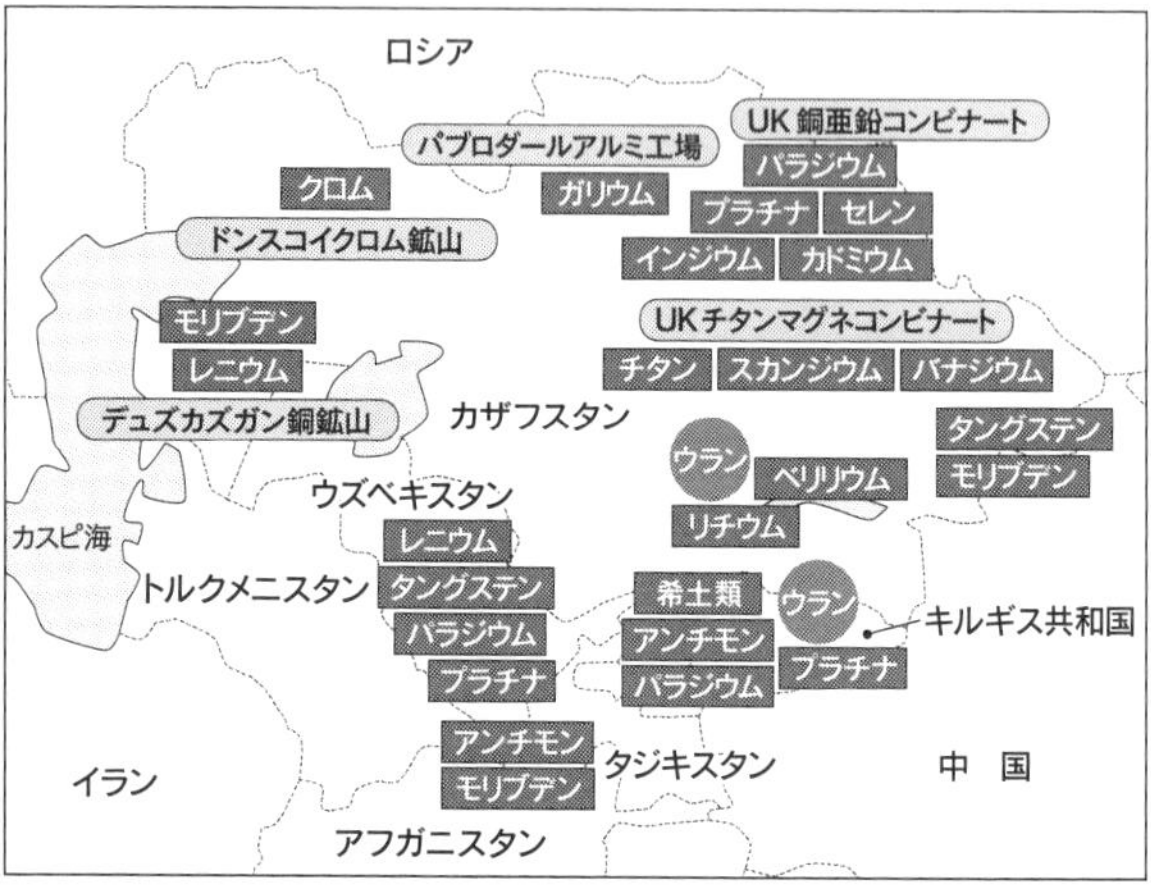

ことになっている。そのためバキエフの率いる与党「輝く道」は四八パーセントの得票率であったにもかかわらず、九〇議席のうち七一を取った。野党の「祖国」は三〇パーセントを超える支持を得ながらも、議席をほとんど取ることができない。

ウズベキスタン共和国でも現職のカリモフ大統領が八八パーセントの支持を得て大統領選挙に当選した。対立した三名の候補はいずれも、大統領支持の声明を出し、まったく選挙運動を行わないダミー候補であった。この国のマスコミはいずれも政権与党を支持し、野党の動向すら報道していない。

こうしたウズベキスタンの選挙結果に対して、欧州安保協力機構（ＯＳＣＥ）は、選挙が民主的に行われていないと声明を出した。一方、旧ソ連の国々で構成する（バルト三国を除く）独立共同体（ＣＩＳ）や上海協力機構（ＳＣＯ）は、民主的であったと、これらの選挙を評価している。

南米を巡る資源ナショナリズム

二〇〇八年九月、モリブデン国際会議（ＩＭＯＡ）がチリのビーニャデルマールで開催された。つい桜と見間違えるアプリコットの花が満開で、美しい街並みが印象的であった。会場は風光明媚な港町バルパライソの近くで、宮崎アニメの世界のような不思議な印象を持った。世界一の銅鉱山であるエルティニエンテ鉱山にも足を延ばしたが、魔女が棲んでいるのではないかと思うような大きな坑道があった。エルティニエンテ鉱山はメタルビジネスではあまりにも有名な世界最大の坑内掘りの銅鉱山である。

チリは銅の埋蔵量で世界最大の三・六億トン（世界シェアの三八パーセント）を有する大資源国家である。〇七年度の銅生産量は五七〇万トン（世界シェアの三六・五パーセント）で、世界ナンバーワンを誇っている。これはチリの全輸出額の五六パーセントに達しており、同国にとって最も重要な産業といえる。〇六年一月から鉱業特別税制度が施行され、銅鉱業界は生産規模に応じて純利益の〇・五〜五パーセントを支払うことになった。これによって投資の減退が懸念されていたが、現在も活発な鉱業投資が続いている。

銅だけではない。副産物のモリブデンにおいても埋蔵量が世界第三位の一一〇万トン（世界シェアの一三パーセント）で、生産量は世界第二位の四・一万トン（世界シェアの二二パーセント）である。

何故か反米政権の国で保護政策が顕著

チリ政府はこれまで他の南米諸国とは違って、性急な資源ナショナリズム政策をとることもなく、バランスのとれた政策を進めてきた。日本にとっても最も安心できる資源供給国として、よい関係を構築してきた。

新日鉱ホールディングスはチリで二〇〇〇億円の銅鉱山の開発に着工した。丸紅も同じくチリで二〇〇〇億円規模で銅鉱山の三〇パーセントの権益を入手している。

南米最大の国ブラジルもまた、レアメタルの大生産国である。ニオブは九七パーセントの資源量を誇り、タンタル資源量は世界の四六・三パーセント、ニッケルの資源量は八三億トンで世界の六・一パーセントを占めている。錫も世界の一一・七パーセントを占め、世界第二位である。銅、亜鉛、クロムはあまり豊富ではない。

ブラジルにおいても、資源ナショナリズムの動きはそう活発ではない。

資源ナショナリズムの動きが強まっているのはグアテマラをはじめとしてエクアドル、ボリビアなどだ。保護政策の傾向にある国はいずれも反米政権だ。キューバやニカラグアも反米勢力で、保護政策の傾向にある。

ペルーは銅の埋蔵量が世界三位、亜鉛が三位、鉛四位、金五位、銀一位、モリブデン三位といった具合に、非鉄金属の豊富な生産国である。多くの日本企業もペルーに資本参加しているが、鉱業税制強化の動きが急速に高まっており、今後の動向が気になる。

ほぼすべての南米諸国で資源の国営化と資源税の賦課を決定している一方、資源インフレによる乱開発は止まらず、環境破壊が拡大化しつつある。

モンゴル大草原に眠る膨大な金属資源

ウランバートルから東部のスフバートル県まで、片道およそ九〇〇キロの平原が続く。どこまで行っても景色が変わるわけではない。途中から道路の舗装もなくなり、正にオフロード・ラリーの状況となる。

体力を温存しようと、クルマの中で寝ようとするが、悪路のために何度も天井に頭をぶつける。チンギスハーンの生まれ故郷といわれるヘンティー県までは快調であったが、一二時間もぶっ続けで走ると、流石に疲労も極限状態になる。

広大な国土には未知数の金属資源が眠っている。しかし、インフラ整備が充分でないため開発のスピードは遅い。最近ようやく探査が進んできたのは、海外からの投融資が活発になってきたためである。

なかでもロシアは一九二四年にモンゴルが世界で二番目の社会主義国家として独立して以来、実質的にすべての資源を支配してきたといっても過言ではない。もともとロシアの地質省は七〇年前にフェーズ3の探査を行い、だいたいの埋蔵目処はついていたようだ。

カナダのアイバンホー社など開発ジュニアの活動も衰えることを知らない。アイバンホー社は現在、モンゴル政府と鉱山の既得権をめぐって裁判中である。

最近はアメリカの資源大手も開発に参入し、資源争奪戦はますます複雑化している。ただし、日本企業はまったくといってよいほど参画していない。

もともとモンゴルの人々の対日感情は悪くないうえ、ソ連崩壊後の日本政府の無償援助を含むODA政策はモンゴルにおいて群を抜いていたため、日本に対する期待は高い。モンゴルの若者の間では日本留学がブームになっているほどだ。こうした留学生は日本贔屓で、日本企業のモンゴルへの誘致を期待していた。しかしリスクを引き受け鉱山開発に乗り出す日本企業は、残念なことに皆無なのである。

モンゴルの宝を狙う龍と熊のつなひき

モンゴルは、歴史的にいつの時代もロシアと中国の影響を受けてきた。度重なる侵略により、偉大なるチンギスハーンの末裔は一時期人口が七〇万人以下にまで減少してしまった（現在は二六〇〇万人の若い国である）。内モンゴルは中国に割譲され、チタ地域やブリヤート地域はソ連邦の自治州に組み入れられた。そして冷戦構造が崩壊し、偉大なる草原国家は国家の根拠と方向性のすべてを喪失したかに見えた。

モンゴルの政治や経済、そして社会や文化が力強く再生し始めるにはソ連崩壊後一五年の歳月が必要であった。崩壊後の五年間はハイパーインフレによる経済混乱の極みであった。次の五年間は過去の清算に入り、最後の五年間で新しい制度改革への道を歩みだしたのである。

一五年経った現在、初めて国家再生が本格化している。二〇〇八年のモンゴル総選挙で

モンゴルのエルデネット銅・モリブデン鉱山

は戒厳令が出るほど大荒れとなり、人民革命党が民主党を破って勝利を収めた。これから政党を挙げた利権の争奪戦が始まるのである。資源開発の戦いは今からが本番といえよう。すでに権益を持っている資源企業は何が起こるのか息を呑んで注視している。

モンゴルから宝をもらうために為すべきこと

モンゴルでは二〇〇六年に金や銅の市況によって課税される超過利潤税を導入した。つまり、輸出利益の六八パーセントが課税対象となった。

先ほども触れた通り、カナダのジュニア企業であるアイバンホー社は早い時期からモンゴルの資源に目をつけてきた。技術と金融との両面からモンゴルの資源開発に力を入れたので多くの採掘権を手に入れたが、モンゴル閣議による一方的な資源政策の決定により、採掘権を剝奪されてしまい、現在は裁判中である。

モンゴル資源の開発に出遅れたロシアと中国が、カナダの資源メジャーを排除するように政治的な働きかけをしているとの噂もある。カナダの探査企業や資源メジャーを排除し、そのあとにロシアや中国の企業が新たに資源を割譲するといった思惑もあるようだ。

特に中国は、政府の後押し政策に伴い、積極的にリスクに挑戦している。

銅や亜鉛、鉛、希土類、モリブデン、タングステンといったすべての金属資源が、モンゴルで確認されている。東洋一のエルデネット銅鉱山は半分の権益をロシアが握っている。しかし副産品のモリブデンはイスラエル企業が精錬している。各国の思惑が政治家を巻き込んで渦巻いている。

日本にとってモンゴルは大変重要なパートナーである。

真剣に資源外交を進めなければ、もはやチャンスはないだろう。

第二章 天才トレーダーが闊歩するレアメタル業界の特異性

投機、その生き馬の目を抜く世界

レアメタル取引において、筆者が最も尊敬している人物の一人に英国のレアメタル専門商社ウォーゲン（ＷＯＧＥＮ）の社長コリン・ウィリアムズ（Colin Williams）がいる。文化大革命のまっただ中の一九七〇年代から八〇年代にかけて、コリンは中国の広州交易会に参加し、その交易会の期間中に香港と広州の電信網を独占して大儲けした。

広州交易会とは毎年四月と一〇月の年二回、広東省の広州市で行われる中国最大の貿易見本市のことだ。すでに百数回を重ねた伝統のある国際規模の貿易商談会で、世界数十カ国から毎回数万人規模の参加者が集まる、中国で唯一、最大の対外貿易商談会だ。

当時、香港と広州間に電信線は一本しかなかった。コリンはその電信線を独占し情報を独り占めすることで大金を手に入れた。その時儲けた金で中国に会社を興し、中国語で狭義に金属を意味する「五金」（ウージン）を英語読みした「ウォーゲン（ＷＯＧＥＮ）社」と名付けた。「五金」とは金、銀、銅、錫、鉄の五つの金属を意味する。

私がコリンを知ったのは蝶理時代にレアメタル取引を通じてである。蝶理から独立して日本初の希少金属専門商社アドバンスト・マテリアル・ジャパン（ＡＭＪ）を創業する時にはウォーゲン社の経営内容を参考にした。現在、売り上げ面ではAMJもウォーゲンと遜色のないレベルに近づいてきたが、利益の面ではまだ及ばない。彼らの取引は投機（スペキュレーション）が中心であるため、際立って利益率が高いのである。

資源ナショナリズムは国家主体で激化し拡大化しているが、レアメタル取引で軽視できないのが、コリンのようなトレーダーと呼ばれる投機家の存在だ。

これまでも述べたとおり、レアメタル市場は小さいため、投機や操作（マニュピレーション）が入りやすい。レアメタルの種類によっては市場の一〇パーセントの在庫を持てば価格の支配は可能といわれるほどで、たいした金額を投入しなくても市場を支配できてしまう。レアメタルに特化した投機筋が活躍する余地が生まれるのである。

ロスチャイルドの大博打

コリン・ウィリアムズの発想はワーテルローの戦いで大儲けしたネイサン・ロスチャイルドと共通している。

一八一五年に英国軍がブリュッセル郊外のワーテルローでナポレオン軍と戦った時の話である。ロスチャイルド家のネイサン・ロスチャイルドは、戦争の勝敗情報を誰よりも早く知ろうと、部下をドーバー海峡に派遣した。

六月一九日夜、戦争は終結し、翌二〇日、ネイサンはロンドン証券取引所で大勝負に出た。英国が勝てば「買い」だが、ナポレオンが勝てば「売り」だ。結果は誰も知る由もない。

ネイサンの非凡さは、その時の行動である。彼は悲しげな表情で、自社の場立ちに「売り」の指示を出した。それを見ていた提灯筋（一般の投資家）は当然雪崩のように競って投げ売りに出た。債券が総崩れを起こすなかで、大底で買い越しに転じた投資家がいた。投げ売りされたすべての債券を大安値で猛然と買ったのが、何とネイサン・ロスチャイルド本人だった。

市場が閉まった後に、イギリス軍大勝利の情報が到着した、市内は喜びに沸いた。翌日の市場は大暴騰する。ネイサンは、たった二日で史上空前の利益をあげ、ロスチャイルド銀行は英国ナンバーワンの大銀行にのし上がったのである。

電話も電信もない時代に、ネイサンは情報を完全にコントロールして大儲けを果たした。しかし、身内をも欺き人を騙し、自分だけが儲けを手にするこのような手法が、果たしてまかり通っていいものか。我々日本人の感覚からすると、卑怯なやり方に見えるかもしれない。

しかし、これが投機の本質ともいえる。ゲームとして割り切っている彼らの「投機の美学」である。文化の違いといえばそれまでだが、日本人にはなかなか馴染めず、真似のできない芸当かもしれない。

日本人は何故、アングロサクソンとユダヤに勝てないか

日本人が逆立ちしても勝てない、投機に長けた民族が二つある。システムや仕掛けを上手く作り出す能力に長けたアングロサクソン系と、商売センスに長けたユダヤ系である。

前者はロンドン金属市場（ＬＭＥ）のシステムやシティーの金融システムを構築して世界のメタル市場をロンドンに集約させた。鉄の女サッチャー元首相は、英国経済を復活させるために金融システムを再構築し、世界に冠たるシティーを再建した。物づくりや実体経済では後れを取った英国が世界金融の中心となりえたのは、その伝統と信用、そしてシステム構築力に拠るところが大きい。

コリン・ウィリアムズが成し遂げた中国と香港間の電信網の独占、さらにロンドン金属市場にヘッジするという手法は正にアングロサクソンそのものである。メタル・トレーダー

アラン・カーと一緒に

の多くがユダヤ系トレーダーであるが、コリンは群を抜いて有能なアングロサクソン系レアメタル・トレーダーである。WOGENを上場させた後、コリンは第一線を退き、現在はアラン・カー（Alan Kerr）が後を継いでいるが、新たな伝説の始まりを予感させる。

商売センスで歯が立たないのが、もう一方の民族、ユダヤ系のメタル・トレーダーだ。彼らは純粋な投機家（スペキュレーター）といえる。投機家は最終の需要家ではない。自分が買った在庫を放出する時が必ず来る。その際に、有能なトレーダーほど、市況がどちらに動くかの予想に長けている。

「安いときに買って、値が噴いたときに売る」

それを二〇年以上の月日をかけてやってきたのがユダヤ・トレーダーたちだ。各々自分の投機スタイルを確立させ、時間差売買や市場間同時取引、先物取引など、複雑な手法を使う。

私が知る限りで、レアメタル業界で成功したユダヤ系の経営者の多くがリサイクル業からスタートした、たたき上げだ。リサイクル業、すなわちスクラップの仕事は、汚れ仕事であるうえに原料供給ルート、マーケティング、エンジニアリングといった幅広い分野を理解しなければできない。リサイクルをするにしても、化学の知識、冶金の知識、機械設備、スクラップ発生のメカニズム、さらに販売市場と価格動向に関する専門知識がないと通用しないのである。

ユダヤ系トレーダーは身体一つでゼロからスタートして、成功している。

ユダヤ系トレーダーに共通するもう一つの特徴はワーカホリック（仕事中毒）という点だ。何から何まで自分でやらないと気がすまないタイプの仕事師が多い。

会社を大きくして名誉を手にするよりも、実質的な儲けを重視する。その分、堅実ともいえる。

キング・オブ・マイナーメタル、天才トレーダー、ラミーの場合

こうしたユダヤ系レアメタル・トレーダーの最右翼が、ラミー・バイスフィッシュ(Ramie Weisfish)だろう。商売センスと投機の分析力でこの人物に勝る者はいない。

一九七〇年代にイスラエルからアメリカ・サンフランシスコに移民したラミーはスタンフォード大学卒業後、スクラップ・トレーダーに弟子入りし、その後マイナーメタル社という会社を興した。マイナーメタルとは副産金属のことで、日本語でいうところのレアメタルとほぼ同義といっていい。欧米ではレアメタルとは呼ばず、マイナーメタルとかスペシャリティーメタルと呼ぶことが多い。

ラミーは偶然にも私自身がロサンゼルスで仕事を始めた頃に一足早くレアメタルビジネスで頭角を現している。ラミーは当初カドミウムやインジウム取引をよく手掛けていたが、次第にコバルトに集中するようになり、やがて、九〇年代になるとコバルトの価格操作において右に出る者がいなくなった。やる仕事なす仕事すべて勝つ天才トレーダーとなった。同時に一人勝ちするため、ラミーといえば、業界では「嫌われ者」の代名詞にもなる。常に万人が最も尊敬する伝説のトレーダーであった。あらゆるマイナーメタルを支配して、キング・オブ・マイナーメタルと呼ばれていた。九〇年代はニューヨークとロンドンを中

心に活躍していた。

彼の市況を洞察する眼力には何度か舌を巻いた。彼にとって特定の商品を研究すれば知らないことはなかった。彼が「市況は上がる」といえば上がったし、「下がる」といえば下がったのである。コバルトの世界では明らかに価格操作がなされていた時期があったが、彼は一人敢然と価格操作に立ち向かい、所謂《いわゆる》「仕手戦」では常勝将軍であった。会社をいくつも経営し、どこで買いを入れてどこで売り抜いているのか誰にも悟らせなかった。資産総額も誰もわからなかった。

日本ではホテル・オークラのスイートを定宿としていたが、家族づきあいを通じて我が家に遊びに来ることもあった。

現在は一線を退いて、フロリダの別荘に引きこもっているそうだ。しかし、これだけの大相場の時機であるから、きっと裏に廻って大勝負を仕掛けているのだろう。

キング・オブ・コバルト、レアメタル界のイノベーター、サスーンの場合

同じく、ユダヤ系のレアメタル・トレーダーにデビッド・サスーン(David Sassoon)がいる。シャンプーのブランド、ビダルサスーンの一族といわれている。デビッド・サスー

キング・オブ・コバルトのデビッド・サスーン

ンは神戸の異人館で生まれ、小学校までは神戸のアメリカンスクールで育ち、その後アメリカに留学する。今でも流暢な日本語を話す。

二〇〇七年に上海で開催されたコバルト国際会議で一〇年ぶりに会った。すでに還暦は越えているが、矍鑠としており、持ち前の落ち着いた雰囲気は昔と変わらなかった。その時も日本語は忘れていなかった。

アメリカの大学を卒業してから、彼はベルギーのブリュッセルにサスーン・メタル社を設立した。アフリカのザイールやザンビアのコバルトを社会主義圏に販売するチャンネル作りで財をなした。主に東欧を中心に、一九九〇年代は中国向けのコバルト輸出を中心に手掛けた。

彼の特徴はアイデアが豊富なことだ。次々に新しい事業を興し、会社を設立し大成功させると、会社ごと売って、自分はまた新しいビジネスモデルを構築するというのを繰り返した。レアメタル界のイノベーターであった。香港で有色金属進出口公司との合弁会社を設立し、大成功を収めた時期もあった。今はフランスのシャモニーのお城に住み、レアメタル・ファンドを経営している。

デビッド・サスーンもまた、裸一貫からレアメタルで大儲けを遂げた伝説の人物である。

キング・オブ・チタン、愛と哲学を有するレアメタル・マンたち

デビッド・サスーンには多くの優秀な部下がいた。そのうちの一人が後にキング・オブ・チタンと呼ばれるようになるシルバン・ゲラー（Sylvain Gehler）である。その他、タングステンとタンタルを扱っているフィリップ・ラバニア（Fillip Lavagnia）やレアアース専門家のビンセント・ウィルマート（Vincent Wilmart）など、優秀な後輩を何人も育てた。

デビッド・サスーンはサスーン・メタルを自分の部下であったシルバンにMBOで惜しげもなく売っぱらってしまう。シルバンも当初はロンドンのスクラップ屋を皮切りにレア

キング・オブ・チタンのシルバン・ゲラー

メタル一筋に多くを経験してきたチタン・マンで、独立後はスペシャルティー・メタル社（SMC）を創立した。私とは、カザフのスポンジ・チタン工場のパートナーとしてすでに二〇年来の付き合いをしている。今やスポンジ工場の会長になり、また国際チタン協会の理事長を務めるなど活躍している。

以上挙げた人物たちは、私のイギリス、アメリカ、フランス、ベルギーの尊敬するレアメタル・マンたちだ。世界ではこうしたレアメタル・マンが活躍している。彼らは単にレアメタルの売り買いをするだけではない。共通するのは、レアメタル取引の特定元素に「愛と哲学」を有することである。そして自分が目指す方向性にブレがない。

別の言い方をすると、大変に頑固なのである。自分のスタイルを大事にするあまり、身内や得意先との「トラブル」や「いざこざ」も絶えない。が、自分の信念を貫くので、いくら時間をかけても最後には必ず「勝つ」のである。

キング・オブ・レニウム、二〇年以上を費やしたリップマンの場合

二〇年ほど前の話である。私は中央アジアからレニウム酸アンモニウム（APR）というレニウム塩類の輸入を始めていた。ちょうど同じ頃、コバルトのオプション取引にも興味を持ち、ロンドンに足繁く通い、アンソニー・リップマン（Anthony Lipmann）という若手のトレーダーと知り合いになった。

ロンドン金属市場（LME）の会長を務める父親と同じ金属の道を歩んだリップマンは、私が尊敬するコリンの会社で修業をして、レアメタル・トレーダーとして独立したばかりであった。そんな彼の、ロンドン郊外の閑静な住宅地にある小さな事務所を訪問した時のことだ。

コバルトやスポンジ・チタンの話をしに行ったのだが、彼の興味はレニウムに集中した。カザフスタンやウズベキスタンのレニウム資源をどうやったら支配できるかという話題で

時間を忘れて意見交換したのを覚えている。

レニウムはモリブデンの副産品であるため、供給の安定性が限られている。また、採掘には特別な装置が必要で、チリの国営銅メーカーと米国のモリブデン・メーカーがほとんどの供給を請け負っていた。装置の設置台数が増えない限り、増産は不可能で、いってみればレアメタルの中でもことさらレアな元素であった。

折しも、当時航空機エンジンの特殊合金としてレニウムの添加が決まったばかりだった。航空機エンジンの開発を行っていたGE（ゼネラル・エレクトリック社）が五年の歳月をかけてレニウム添加の優位性を確認したのである。航空機エンジンの安全保証のライフテストは五年を要するため、レニウムの代替材料を探すには、さらに五年がかかる。すなわち、五年間はレニウムの需要は確実に上がり続けることを意味した。

リップマンは特に、レニウムの日本市場における需要に着目した。航空機部材はいずれ日本が取り扱う可能性が高いと当時から予測を立てていた。筆者もチタン材料を扱っていたので、彼の主張は理解できた。

当時のレニウム市場は大変小さいうえ、市況は暴騰と暴落を繰り返していた。素人が手を出すような代物ではなかった。私自身が中央アジアを何度も訪れたのは、スポンジ・チタンの開発が主な目的で、レニウムは「ついでの駄賃」に過ぎなかった。

リップマンはその後、二〇年以上をかけてレニウムの取引を続け、遂に世界一のキング・オブ・レニウムになった。

ヘッジファンドは参入できないレアメタル・ビジネス

ジェットエンジンの燃費向上のために利用されるようになったレニウムは、航空業界が石油コストの抑制を目指すなかで高騰し続け、世界同時金融危機以降レアメタル相場のほとんどが暴落するなかでさえ、依然、騰勢が強い。二〇〇四年一月に一キロ一四六〇ドルだった価格は、〇八年一二月に一万一六八四ドルに高騰している。五年で八倍だ。

リップマンが経営するリップマン&ウォルトン社の売り上げの六割以上がレニウムで、利益は三倍以上に拡大したそうだ。米地質調査所（USGS）によると、世界の〇七年のレニウム生産量は四九・五トンと、〇六年の四七・二トンから増加したが、いずれにせよ、あまりに少量のため、一握りのプロしか扱えなくなったのである。従って、長期にわたってレニウムを専門とするリップマンが設定するレニウムの価格が最も正確であるといわれている。

彼はもはや、レニウムの投機をしているというよりも、レニウムの世界市場を操作しているといっても過言ではない。

現在、リップマンは国際マイナー・メタル協会の会長をしており、彼のもとには債券や株式相場で打撃を受けたヘッジファンドからのアプローチが後を絶たないという。レニウム取引における成功に注目して、そのノウハウを聞き出したいのだろう。が、リップマンは「メタル・トレーダーのビジネスは謎に包まれた部分が非常に多いから面白い。単なる金融機関であるヘッジファンドでは決して参入できないだろう」との見方を示している。

演劇にも造詣の深い彼には演劇界に投じたい思いもある。例えば、カザフスタンでビジネスをする際に、カザフスタンのオペラ歌手をヨーロッパでデビューさせたこともあった。ただ金のやり取りだけでビジネスを終わらせない。夢とロマンを持って、人生を懸けたビジネスを展開している。

レアメタル・マンの発言がレアメタル市況を左右する

こうしたトレーダーたちと相容れないのが、ヘッジファンドの世界だ。ヘッジファンドの投機家たちは、価格が変動するものであれば何でも手を出す。金、銀、プラチナなど、市場規模が大きければ大きいほどいい。ただし、彼らには商品に対する「愛とロマン」がない。単に金融工学の世界で、数字の計算式を使って取り扱っているに過ぎない。

つまりどんな金融商品も関係なく、「人も物」も関係なしに、単に「金銭」だけを追いかけるのが金融資本の世界だ。二〇〇八年の世界金融同時破綻は、そうした愛と哲学が欠如する「浅知恵」が引き起こした人災に見えてならない。

レアメタル・マンたちはこれまで見てきた通り、それぞれ得意分野を有している。自分が投機の対象とする鉱物に対して特別な思い入れがあるからこそ、レアメタル取引は単に物の売り買いに留まらない。市況は、目に見えない「センチメント（人気）」にも左右されるのである。コバルトをこよなく愛し、コバルトのことなら知らないことのないデビッドやラミーが発言することで、急に市況が変わりうるのである。

影響力のあるレアメタル・マンが「〇〇市場が大きく伸びる」「〇〇鉱山が面白い」と発言すると、市況は反応するのだ。そういう意味で、スペキュレーションは、個人の理念や世界観が反映される。

トレーダーの世界においては「読みが深い」ということが「崇高な行為」であると評価されるのだ。だからレアメタル取引は刺激的で面白い。洞察力と自己責任で、長い時間をかけ自分自身を賭けて勝負をする場なのである。

キング・オブ・モリブデン、一四〇億円の損を出したエリックの場合

もう一人カナダの天然資源ファンドの投機家を紹介しよう。当社のトロント支店のフルカット所長からエリック・スプロット（Eric Sprott）について聞いたのは二〇〇八年四月にバンクーバーにあるモリブデン鉱山本社を訪問した時であった。

当時、モリブデン市況は暴騰し、商品ファンドの投資効率は最高潮に達していた。投資銀行メリルリンチの調査部出身だったエリックは一九八一年に会社を興し、〇四年以降のレアメタル・パニックの波に乗ってトロント金融市場で注目される成績を挙げていた。特に金と貴金属鉱山ファンドで成功し、さらにウランとモリブデンに目を付けた。原子力発電やエネルギー資源開発に必要な素材を先取りしたことで奏功し、さらに〇七年に設立したモリブデン・ファンドはモリブデン企業株をファンドの六六パーセント比率に引き上げた。また、モリブデンの現物在庫を買い込み、当時エリックは間違いなくキング・オブ・モリブデンと呼ばれていた。

〇八年一〇月に歴史的な暴落に見舞われ、一ポンドあたり三三ドルの市況がわずか一カ

月の間に八ドルまで落ちる。二億カナダ・ドルあったエリックの資産は一〇月から一一月にかけて一気に六二〇〇万ドルに下落した。七割の損失を出したのである。〇九年一月には日本円に換算して約一四〇億円の見切りをして、エリックは手仕舞いした。

エリックは商品ファンドを通じてトレーダー的なパフォーマンスに挑戦した初めての金融資本家といえるだろう。しかし、決してトレーダーにはなれなかった。儲かる話なら何でもよかったのである。レアメタルに対する「愛と哲学」がなかったのだ。

長年相場の世界に身を置く者の落ち着き、ジム・ロジャーズの場合

ヘッジファンドが仕掛けるコモディティ（商品）市場への金融戦争と言えば、ジム・ロジャーズ（Jim Rogers）やジョージ・ソロス（George Soros）の名前が思い浮かぶ。ジム・ロジャーズは現在シンガポールに住んでいるが、時々講演のため東京を訪れる。二〇〇八年一〇月、金融危機の最中に彼と会う機会があった。

第一印象は稀代の相場師というよりも自由人という印象であった。ピンク色の蝶ネクタイとつりズボンの姿はボードビリアンのような雰囲気で、気楽な話しぶりに好感が持てた。コモディティファンドの話よりも世界をバイクで廻った話や奥さ

んとベンツで中国を旅した話の方が面白く、生き生きしていた。

彼は長期的な視点でしかコモディティを見ていないので、短期的な調整期の値下げ市況はあまり興味がないようにも見えた。

むしろ好きなことを一所懸命やったついでに商品ファンドのアドバイザーをしているような感じを受けた。

そういえば、さわかみファンドの澤上篤人さんからも何となくおっとりした印象を受けた。

長年相場の世界に身を置くと似た雰囲気になるのかもしれない。

我々のレアメタル・ビジネスも同様だが、あまり金銭を追いすぎるタイプの人は落ち着きがなくて、むしろ失敗する確率が高いようだ。

カミソリのような切れ者は年がら年中勝負に明け暮れているから緊張感が長続きしないのかもしれない。

決断する時は迅速に、見切る時は積極果敢に対処するが、普段はむしろ鷹揚に構え、時に昼行灯のような雰囲気を漂わせているタイプの方が息は長いようだ。最も必要なのは、広い視野、そして歴史や文化に通ずる教養ではないか。

「国際犯罪人」と非難されるジョージ・ソロスの場合

ヘッジファンドが仕掛けるコモディティ市場への金融戦争の大本尊はジョージ・ソロスである。彼は金融の専門家で、その対象は何でもありだ。

ジョージ・ソロスは一九三〇年にハンガリー・ブダペストでハンガリー系ユダヤ人として生まれた金融界の天才だ。当時のブダペストは、ナチス・ドイツに占領され、四〇万人のユダヤ人が虐殺されたが、ソロスは他人になりすまして生き延びた。終戦後、社会主義国家を嫌い、ロンドン、ニューヨークへと移り住んだ。

やがて、アメリカでヘッジファンド（クォンタム・ファンド）の運用担当者として頭角を現し、金融工学を駆使して株式相場、商品相場、通貨市場で投機（デリバティブ）を行って大儲けをした。

彼が世界的にその名を轟かせたのは、一九九二年九月一六日のポンド危機の時の名勝負である。

当時の英国政府はＥＲＭ（欧州為替相場メカニズム）に参加しており、ポンドとＥＣ諸国との為替レートを一定の枠に収めたが、イギリス経済は低迷していた。ソロスは、過大評価されたポンドは必ず大幅な切り下げに追い込まれると予測した。

彼の乾坤一擲の勝負はこの時に始まる。

ソロスは、イングランド銀行を相手に一〇〇億ドル相当のポンドを売りまくった。ついに圧勝し、イギリスをERMから離脱させることとなった。イギリスが今でもユーロに参加できない理由はこの時のトラウマがあるといってもいい。一連の欧州通貨危機を通じて、ソロスは二〇億ドル以上を稼いだといわれている。

九七年のアジア通貨危機でもソロスのヘッジファンドがタイバーツを売り込んだために問題は加速した。さらに東南アジアや韓国に飛び火したアジア通貨危機でもソロスの動きが目立ちすぎたため、マレーシアのマハティール首相などは、ソロスを「国際犯罪人」と呼んで強く非難した。

ジョージ・ソロスは東欧、ロシアの慈善事業に莫大な寄付をするが、ジム・ロジャーズと比べると、商品に対する「愛と哲学」観は希薄で、イメージはよくない。

タングステンでは負け知らず、中村繁夫の場合

海外に行くと、私は「ジャパニーズ・ジュイッシュ（日本のユダヤ人）」といわれる。

航空機材料に使うチタンブリケット

自分としては面映ゆい感じで、褒め言葉と理解している。それほど、スペキュレーションの世界においてユダヤ人の活躍ぶりがダントツなのだ。

レアメタルだけを専門にするトレーダーは日本だけでも一〇〇名近くいる。私はそのなかで、日本を代表するレアメタル・マンになりたいと思ってこの仕事を続けてきた。

先ほども書いた通り、レアメタルには不思議と相性がある。コバルトに強い人間もいれば、チタンと合う人間もいる。人間関係と同じように、人と金属の間にも、何かバイブレーションのように共鳴するものがあるのだ。

これを私は「人格」に対して金属の「品格」すなわち「金格」と呼んでいる。レアメタルにもそれぞれに格がある。全部で五七種類あるレアメタルは大きく三つに分類できる。電子材料元素系の金格、機能性材料元素系の金格、構造材元素系の金格があるのだ。また、メジャーメタル（ベースメタル）にもそれぞれにベースメタルとしての金格がある。同じ元素でも、多様な用途や機能を有すると、その金格は複雑である。

私の場合はタングステンと波長がぴったり合う。タングステンの商売をこれまで幾度となくやってきたが、一度も失敗したことがない。一方で、どうもうまくいかない、巡り合わせが悪いレアメタルもある。が、それについては一切口にしないことにしている。言葉には魂が宿るため、公言してしまうと現実化してしまうからだ。

部下を見ていても、そのメタルと合う、合わないが自ずと見えてくる。通常の商社の場合、三年くらいで異動するが、筆者の会社では最低でも一〇年は同じことをやらせる。一〇年やると、そのなかで相性がはっきりわかってくる。相性が悪ければ、その時点で担当替えとなる。

レアメタルの取引は金属と深く長く付き合っていく仕事のため、その組み合わせが重要といえる。一つの金属に特化する職人仕事といってもいいかもしれない。

七〇年代末に始まったレアメタル投機

こうしたレアメタルを巡る投機戦はいつ頃から始まったのか。一九七九年、筆者にとって忘れられない年であった。

一九七九年とは、第二次オイルショックとソ連のアフガニスタン侵攻があった年だが、モリブデンとコバルトが日本市場から姿を消したために、短期間に市況が暴騰した年でもあった。

当時、筆者自身もモリブデン塩類やコバルト塩類を触媒用途に扱いだした時期であった。欧米市場からの供給が突然停止状態となったため、文化大革命後の中国を新しい供給元として開発する必要に迫られた。

本格的に筆者がレアメタルに傾倒していった時期であった。

当時は「有事の金」とか「有事のドル買い」などといわれたが、レアメタル分野にまで投機の影響が拡大した結果、市況価格が高騰したのである。

時期を同じくしてアメリカの大富豪、ハント兄弟の銀相場の価格操作事件が起きた。

ハント兄弟は、高騰した金に比べ、銀の価格が安値に放置されていると考え、勝負に出た。銀市場の当時のレバレッジが二〇倍となったのを見て、わずか五％の証拠金で全財産を賭けた取引を始めた。一年後の八〇年初頭、銀は、天井知らずに暴騰し、ついに一オンス当たり五〇ドルを突破する。

ところが値上がりとともにどこからともなく、世界中の在庫の銀が大量に市場に出てきた。兄弟は懸命に買い支えるが、当局が信用取引の規制を行い、ハント兄弟の銀市場支配は崩壊してしまう。

規制のせいで損害を受けたと主張するハント兄弟と当局は長期間裁判で係争を繰り返したが、判決はハント兄弟の敗訴だった。

その後、銀価格は長期間低迷することになる。

これが有名なハント兄弟事件で、投機筋が価格操作で失敗した典型例である。

モリブデンとコバルトがLMEに上場

今年（二〇〇九年）初頭、雨模様のロンドンに到着した。国会近くの定宿に荷物を置いてそのまま直ぐにリーデンホール通りへと向かう。ロンドン金属取引所（LME）のリングの中ではカクテル・パーティーが始まっていた。

なかなか粋な計らいである。世界のレアメタル・トレーダーたちは、いつもなら「場立

2009年初頭のロンドン金属取引所（LME）

ち」が座る戦場の中でワインを片手に談笑していた。

翌日からLME主催によるコバルトとモリブデンの上場のためのセミナーが始まった。世界から二〇〇名の著名なレアメタル関係者が集まった。銅や鉛、亜鉛といったベースメタルを中心にニッケル、アルミ、アルミ合金、錫という取引金額の多い七品目がLMEでこれまで取引されてきたが、二〇一〇年からレアメタルの代表であるモリブデンとコバルトも加えようというのだ。他のレアメタルは市場が小さすぎるため、基本的に欧州のトレーダー間の相対取引が中心である。需要供給の中心が日本や中国になっても、欧州主導型の取引は変わらない。

今やベースメタル中心のＬＭＥ市場にレアメタルが本格的に上場する時代になったのである。もしモリブデンとコバルトのＬＭＥ上場が成功すれば、いずれはタングステンやクロム、マンガンなども追加上場される可能性さえ考えられる。デジタル革命が進み、これまで重要視されなかったレアメタルが産業界にとって不可欠なコモディティとして認められるようになったのである。

一方でモリブデンの需要はせいぜい二〇万トン、コバルトなどわずか六万トンだ。ベースメタルより一桁小さいのである。果たしてこのようなコモディティにＬＭＥが参入し上場した結果、大きなボラティリティー（価格変動率）がつくのか否かは不明である。顧客が寄り付かず価格の変動がなければ上場する意味はない。

もちろん、上場する利点もある。モリブデンもコバルトも、これまでの市場の動きには不可解な部分が多い。ＬＭＥに上場すれば当然、透明性が増すことは確実だ。相対取引を良いことに価格操作をしてきた連中には都合が悪いが、実需家にとってはヘッジを含め利用価値が上がると思われる。

「アフタヌーン・ティー」で支持を集めるＬＭＥ

LMEが長く非鉄市場にて指標価格を提供できているのは、生産者・流通・需要家といった実需市場からの支持があるからだ。なぜ支持されているのか。

その理由は次の通りである。

1 圧倒的情報量の集積がLMEのネットワークとシステムを強化した。

2 良質メタルが安定供給可能な生産者のブランドのみを、指定ブランドとした。

3 指定倉庫を需要家サイドに置き生産者サイドにおかなかった。これにより生産者の意図的なデリバリーによる操作をしにくくしたため、需要家の支持を得た。なおCOMEX（ニューヨーク商品取引所）は生産者サイドに指定倉庫を置いている。

4 持高《もちだか》に対する規制がなく客先満足度を高めた。つまりポジションの漏洩を恐れる大口ユーザーにとって報告義務がなく利用しやすかった。COMEXでは持高規制と報告制度を厳しく管理している。

5 リングメンバーとの伝統的相対取引は取引条件（手数料、与信、諸サービス等）にメリットがある。LMEの特徴でもある個別与信ベースの取引、日別の取引（通常は限月）制度、複数の通貨建て（ドル、ポンド、円）取引などはほかに例がなく、きわめてユニークにしてフレキシブルである。

6　実需顧客への柔軟性の提供を維持するために多少の複雑さはあるが、伝統を守っている点も支持を得ている要因の一つである。未だに場立ち取引があるが、世界的にはオンライン取引に移行しつつあり、ＬＭＥも大半のオーダーはオンラインだ。

ＬＭＥ市場の本質は英国の生活文化のシンボルである習慣「アフタヌーン・ティー」のようなものである。人気があるから世界の支持を集めるのだ。そんな意味では、「ロンドン金属交換所」そのものが世界の注目する伝統的な文化遺産なのかもしれない。

ロンドン市場とメタル・ジャーナリズムの影響力

世界第二位の経済大国である日本は、需要者としてレアメタル市場の二〇〜三〇パーセントの世界シェアを持っている。電子材料元素のインジウムやガリウムに至っては何と七〇パーセントのシェアである。しかし、レアメタル市場における日本の支配力はほとんどない。スペキュレーションではユダヤに勝てないとはよくいわれることだが、システム作りにおいては、日本はヨーロッパに完全に負けている。

実際の価格決定メカニズムは、日本の需要家が決定するのではない。すでに述べた通り、英国のLME市場やメタル・ジャーナリズムが影響するからである。

メタル・ジャーナリズムというのは、メタルの専門雑誌、LMB誌やメタル・ウィーク誌である。LMB社（レアメタル専門雑誌社）が毎週二回発行するLMB誌が発表する市況が相対取引において指標となるのである。こうした情報については近年、新規に設立されたネット利用によるメタル情報メディアも増加し、価格変動のスピードがさらに高速化されつつある。

欧州のメタルビジネスはその優れたインフラ整備に支えられている。物流面でも倉庫業者や保険会社がネットワークを構築しているため迅速に対応できるシステムができあがっている。縦割り行政の日本では太刀打ちできない。

欧州圏の市場構造は統合と共有により発展

欧州のメタルビジネスを取り巻く合理性には個人主義と民主主義の歴史が影響している。つまり異質の統合と情報の共有がシステム化されているのだ。

またロンドン金属市場が世界の相場をリードしている背景には、国家規模での肩入れが挙げられる。サッチャー政権は規制を取り外し、金融資本が自由に活躍できる場を提供した。一九八〇年代になると飛躍的な情報改革に加えて米国流の金融工学を駆使する金融資本がデリバティブを中心に世界の金融を牽引した。

ロンドンが有利であるのはアジア圏と北米圏の真ん中に位置する地政学的意味もある。九〇年代から二一世紀にかけて拡大するグローバル化の流れの中で、ロンドンが金融の中心に引き上げられたのである。また、欧州の経済統合の流れも、通関や流通といった行政制度をフレキシブルにした。

実は九〇年代はメタルビジネスにとって不遇の一〇年間であった。旧ソ連から膨大な国家備蓄メタルが放出され、明らかな供給過多だったのだ。メタル価格は長期的低迷市況となり、非鉄メジャーは新規の資源開発を見合わせ巣籠もり状態だった。

一方、欧州統合の流れから物流面においてはあらゆる分野で合理化が進んだ。倉庫や物流業者の統廃合が進み、物流網を整備しなければ生き残れない環境が生じた。昔はドイツのハンブルクがハブ港（物流の中心）であったが、八〇年代以降ベルギーのアントワープ港やオランダのロッテルダム港が欧州の海の玄関に様変わりした。どちらかといえば農業国家で産業の少ないベルギーやオランダは流通インフラに注力することでEU内の機能強化を進めたのである。

分析機関やサーベイヤー、流通上のサービス機関も合理化が進み淘汰が進んだ結果、欧州の中では適者生存した企業によるネットワークが確立した。レアメタル・ビジネスを支える格好で、金融機関から行政機関、流通組織へのネットワークが欧州独特の合理的システムとして機能しているのである。

欧州メタル・ビジネスとアカデミズムの有機的補完

軽視できないのは、市場構造図同様、一見、無関係に見えるメタル・ビジネスとアカデミズムが、欧州では密接に関係している点である。

例えば英国やフランスの王立鉱山大学（ロイヤル・アカデミー・オブ・マイニング）は伝統のある学問の府であると同時に資源関係の博士号取得者を多く輩出する企業経営者の登竜門でもある。そもそも鉱山資源やエネルギー資源に従事している学究は数ある学問の中でも最高位に位置づけられており、優秀な人材が集まる。

また、大学の教授が企業の経営者になったり鉱山会社の社長が大学教授になったりする双方向の交流も見受けられる。英国と米国、オーストラリアやカナダ、南アフリカとの間

欧州メタルビジネスと各種インフラの有機的補完関係

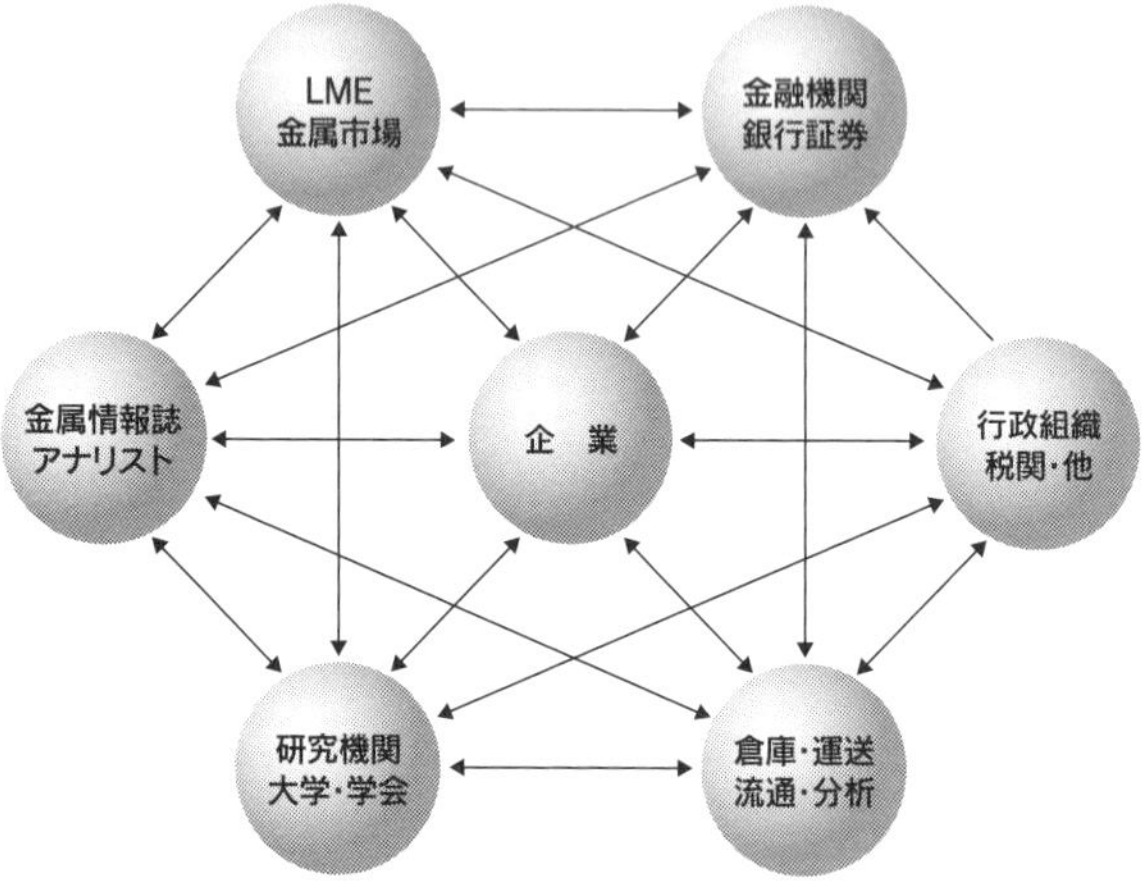

で企業間のヘッド・ハンティングや共同研究も常時行われており、情報交換や人的補完関係にも役立っている。

日本の場合、残念ながらこういった交流が皆無だ。大学と企業は遊離している。産学協同とは国の補助金を利用しているケースが多いようだ。まして海外の技術者や研究者との人的な交流がきわめて限定的であることは、資源関連分野の幅を狭くする原因となっている。

ヨーロッパの場合、こうした金融機関サービス、行政や通関制度、倉庫・流通・分析機関と物流面の合理化、研究機関と大学などのアカデミズム、金属情報やアナリスト、メタル・ジャーナリズムが有機的に補完し合い、強靭なレアメタル市場のインフラを作り出している。

トロント市場は世界の資源カジノ

資源企業の上場数が最も多いのが、カナダのトロント証券市場（ＴＳＸ）である。二〇〇七年には年間取引高が過去一〇年の取引高を上回ったという。アメリカの年金ファンドや世界中の資源ファンドがＴＳＸに集中投資し、サブプライム問題などはどこ吹く風で、世界一活発な市場、世界の資源カジノのような雰囲気があった。もちろん昨年の世界同時金融危機が起きるまでの話ではあるが。

トロント証券市場には新興市場（ＴＳＸＶ）もある。ＴＳＸが約一兆円規模以上の企業約三〇〇社から構成されているのに対し、ＴＳＸＶは約一〇〇億円以下の小口の企業の集まりだ。約一〇〇〇社から成っている。

カナダは資源投資に対していくつかの税制優遇措置を置いた。できる限り規制を緩和することで、株式市場を活発にした。結果、アメリカの年金ファンドや世界の余剰資金がトロント市場に流れ込んだ。

最近では商品ＥＴＦ（Exchange Trade Fund）による投資も盛んだった。ＥＴＦとは土地を金融化する発想のＲＥＩＴ（不動産投資信託）と同じで、ゴールドの証券化やレアメタルの証券化をするファンドである。ＥＴＦで成功したファンドは単に証券の売買をするだけでなく現物にも手を出す。一流アナリストを抱えているため、ここといった時には現物を買って投機に回すのだ。モリブデンで成功したファンドは実際にモリブデンの現物取引でも成功するという。前述したエリック・スプロット・ファンドが有名である。

また、カナダ市場で特筆すべきはＲＳＰ（Retirement Saving Plan）制度である。ＲＳＰとは企業に積み立てている退職年金を証券投資に回して出た利益に対して課税しないという免税制度である。カナダのサラリーマンたちは、この制度を利用して鉱山株投資をしている。

一万ドルのサンドオイル株を買ったサラリーマンが、退職時に四〇万ドルを手にしたといった話もざらにある。資源株をこれだけ囃しているのだから当然といえば当然であるが、世界同時金融危機はトロント市場も例外なく襲った。

〇九年に入って市場価値は半値八掛けに落ち込んでいるため資源開発の見直しを余儀なくされている。〇八年以降〇九年の初めまでにすでに資源関連の七三プロジェクトが無期延期または見直しに入っている。その多くがカナダ資源関連のプロジェクトである。

資源が消えてしまうことはないが、長いトンネルに入った印象は拭えない。

M&Aを成功させた企業が支配力を強化

非鉄メジャーの歴史は古い。英国で始まった産業革命は金、銀、銅、亜鉛、鉛を中心にニーズを高め、世界中の非鉄金属資源を欧州に集めた。一九世紀の帝国主義時代に入ると南米、アフリカ、豪州へ投資し、植民地政策のなかで資源を収奪して成長を遂げた企業が二〇世紀になって新資源メジャーとして世界に冠たる伝統企業となった。

一九九〇年代後半から二〇〇〇年代初頭にかけて資源業界では大幅な再編劇が見られた。例えば、石油ではシェブロンとテキサコ、エクソンとモービル、BPグループにロイヤルダッチシェルと、セブンシスターズがフォーメジャーズに統合された。

鉄鋼企業分野では、アルセロール、新日鐵、JFE、ポスコに集約されてきた業界において、さらに地球規模でミッタルスチールがISGを買収し、さらにアルセロールも買収するという離れ業が現実のものとなった。

アルミ分野では米国のアルコア、カナダのアルキャンとノランダ、ノルウェーのノルスクハイドロに統合され、銅地金の分野では、チリのコデルコ、英国のBHPビリトン、リオティントやアングロアメリカン、米国のフェリプスドッチなどに統合された新資源メジャーのエクストラータがさらに再編を加速させる動きもある。

二〇〇四年から〇五年にかけて、非鉄メジャーの一部の企業が合併と買収による事業の拡大を始めた。買収の一方で、ノンコア事業を切り売りする動きも顕在化してきた。〇四年に市況が暴騰したことから、非鉄メジャー各社の財務内容は大幅に好転し、その結果、設備の更新、新規鉱山への投資、さらには探鉱活動が強化されたのである。新資源メジャーといわれる企業群が出現した。例えば非鉄メジャー七社の銅鉱石の生産シェアは九〇年代に三割だったのが、二〇〇八年には五割を超えている。

こうした企業には、民族系の非鉄メジャー、チリのコデルコやブラジルのヴァーレ（元CVRD）、カナダのアイバンホー、中国の五鉱集団、金川集団、ロシアのノリリスクといった企業が含まれる。なかでもスイスのグレンコア・エクストラータのM&Aは最もダイナミックであった。

二〇〇三年から始まったメジャーの盛衰の歴史は、M&Aを成功させた企業が支配力を強め、M&Aに無関心であった企業は競争力をなくしていった歴史である。金融危機以降も新しい形のM&Aが企業の盛衰を決定してゆくだろう。

金融危機は一過性、水面下で進む大型買収の動き

トレーダーのほとんどがユダヤ系と書いたが、トップ3のBHPビリトン、リオティント、そしてアングロアメリカンの源流もユダヤ系資本である。また、資源メジャーだけでなく、M&Aでのし上がってきたエクストラータやヴァーレなどの新資源メジャーも、歴史的に見ればユダヤ資本に源流を見ることができる。

世界最大の金属メジャーであるBHPビリトンは、第二位のリオティント買収の可能性を、この数年間、模索してきた。もしこのトップ2の大型M&Aが実現されれば、鉄鉱石やレアメタルをはじめとする主要資源を輸入している日本の高炉メーカーや非鉄金属メーカーに影響が出る。国際カルテルによって使用量の大半を支配されるため、原料調達が不安定となる。資源小国である日本や鉄鋼業界は警戒感を強めた。

結果として、二〇〇八年一一月にはBHPビリトンはリオティントの買収を断念した。米国のサブプライム問題からリーマン・ショックに至る金融危機が世界同時金融恐慌を誘発、一連の金融バブルの崩壊が資源インフレさえも吹き飛ばすような勢いになったのである。

しかし、一過性の金融危機が終了すれば、こうした大型買収の動きは再び活発化するであろう。

M&Aブームの本質はユダヤ資本VS.中国の戦い

こうしたM&Aがなぜこれだけ激しく繰り広げられてきたか。私は、それを資源ナショナリズムへの反動と見ている。

金属メジャーの立場としては急速に巨大化している中国に対する売り手側による力を結集する必要性があるために、対抗策としてM&Aを繰り返すことでさらに売り手としての力を巨大化させてきた。

今や世界中で激烈な資源争奪戦が繰り広げられているなか、中国は国家規模で原料購入のバーゲニングパワーを強めている。こうした資源ナショナリズムの激化は、資源メジャーにとって脅威となる。資源メジャーがM&Aを利用した巨大化戦略をとらない限り、中国をはじめとする新興需要に呑み込まれてしまうという危機感が背景にあるのだ。

実際、中国はBHPビリトンやリオティントに支配されないよう、この最大手二社以外から鉄鉱石や石炭を購入するといった対決姿勢を明確に打ち出している。中国の資源政策はしたたかだ。

M&Aと資源ナショナリズムの構図は、ユダヤ資本VS.中国との戦いとも読み替えることができよう。

二〇〇八年の金融恐慌により、市況商品が暴落する中で、鉄鋼原料やレアメタルも例外ではなかった。大手非鉄メジャーのM&A戦略は間違いではなかったが、結果として「高値摑み」となった。〇九年以降の資源購入交渉は非鉄メジャーにとって苦渋の選択となっている。市況の暴落に加え購入資産の重荷にも耐えながら、嵐が過ぎるのを待つしかない。食うか食われるかの国際競争の中で、M&Aや国際カルテルは当然のことであり、力と力のぶつかり合いは避けられない。日本企業も日本政府も世界の客観的事実を分析し、今後どのような挑戦ができるか、国際感覚を十分に磨きながら検討する必要がある。

第三章　日本の先進環境技術は、サバイバル戦略の切り札か

ハイブリッド車に生き残りを懸けるトヨタ

世界同時金融恐慌は自動車業界にも大きな影響を与えている。アメリカのビッグ3に対してアメリカ政府は救済措置を決めた。また、日本においても自動車不況に揺れるトヨタは予想外の円高と需要減のために、二〇〇九年三月期の連結営業利益が四六一〇億円の赤字で、七一年ぶりの営業赤字に転落した。創業以来の危機のなか、トヨタはハイブリッド車に社運を懸けようとしている。

トヨタのハイブリッド車は、今や世界で一七〇万台以上の市場規模となった。一九九七年にプリウス第一号を発売して以来、トヨタはハイブリッド車で生き残りを図るという明確な戦略を打ち出してきた。未曾有のガソリン値上がりがハイブリッド車の需要を加速させており、この勢いが続けば、数年後には三〇〇万台の生産規模になるといわれる。

ハイブリッド車とはガソリンで動くエンジンと電気で動くモーターのふたつの動力を備えたクルマのことだ。従来はプリウスだけだったが、いまや車種もハリヤー、エスティマ、アルファード、クラウン、クルーガー、ダイナ、トヨエース、レクサスなどに拡がっている。また、トヨタ以外に、ホンダのインサイトの売れ行きも絶好調であり、さらに日産も戦列に参入する。

アカデミー賞授賞式では、有名俳優たちが富の象徴であるキャデラックに乗って登場するのが定番だったのが、いまやハイブリッド車で乗り付けるのがステータスとなっている。つまりハリウッドのムービースターたちは、地球環境にやさしい自己をアピールするためにエコカーに乗って登場するわけである。

時代の変化に合わせ、ハイブリッド車を企業の生き残りの主軸とするトヨタの奥田相談役は、資源インフレに強い危機感を持っている。資源外交に関する協議会を新日鐵の今井敬会長とともに経団連と政府、財務省、経産省に呼びかけ、二〇〇七年から数回、緊急会議を招集してきた。

近年、製造コストに占める電子部品の割合が急増している。電子部品を構成するのがレアメタルである。自動車の製造コストに占める電子部品の割合は、二〇〇七年時点でカローラ・クラスの小型車で一割から二割、クラウンのような高級車で二割から三割、そしてプリウスのようなハイブリッド車では約五割前後に達しているという。

平均すると二割から三割である。これが二〇一五年には四割になるといわれる。

ハイブリッド車の生産に欠かせない希土類原料

そのハイブリッド車のモーター生産に欠かせないのがレアメタルの希土類原料である。二〇〇六年の年間輸入が四万トン強（四二九億円）で、一〇年には七万トン強（約一〇〇〇億円）必要になる見込みだ。輸入比率の八六パーセントを中国に依存する日本としては、なんとか自力で供給したいところである。

〇七年に希土類価格が暴騰した際、日本は緊急措置としてオーストラリア、米国、カナダ、ベトナムなどで希土類資源探査を開始した。トヨタはベトナム政府と希土類探査の合弁を設立したが、最も早いケースでも出荷までに今から二年はかかる。

解決策が直ぐに見つかればレアメタル・パニックなど起きない。

当社では中国の希土類材料メーカーと合金製造の合弁企業を〇七年八月に立ち上げた。中国の資源囲い込み政策に対応しなければ、日本のハイテク産業に未来はないのである。

資源外交協議会では、奥田相談役からしきりに、中国の希土類やロシアの貴金属についてどうすれば安定供給が可能かとの質問が私に向けられた。トヨタはこれまで大手商社や非鉄企業に資源確保を任せていたが、これからはグループ会社である豊田通商を通じて自ら採掘権益を入手する戦略を決定したようである。

また、レアメタルに関する社員教育にも関心を示し、私は何度かレクチャーを頼まれた。さらに、当社のレアメタルの担当者が一人、トヨタに転職したほどである。このくらいの危機意識を持たなくては、トヨタの未来はあるまい。

不可欠な希土類原料が環境汚染を引き起こす

資源が足りなくなると、必ず省エネ技術が発達する。世界の情勢や常識が変化する際、その変化にどれだけ対応できるかが、企業の生き残りを左右する。

例えば、かつてのアメリカのビッグ3のGMは、近年の省エネ、環境対策という時代の要請にまったく応じなかった。結果、企業存続の危機に直面し、今や見る影もない。

変化にフレキシブルに対応するために欠かせないのが技術力だ。日本は豪快に世界のルールを変える力に欠けるが、勤勉に技術開発に取り組む能力には長けている。自動車産業の生き残りにいち早く危機感を覚えた奥田会長の技術開発戦略は功を奏したといえよう。

一方で、意外に知られていないが、ハイブリッド車が増えれば増えるほど、資源開発の現場で環境破壊が進んでいる現実がある。確かに先進国から見れば、ハイブリッド車は環境にやさしい乗り物であるが、資源国においては環境汚染の元凶になっているのである。

序章でも説明したが、ハイブリッド車にとってネオジム、ディスプロシウム、テルビウム（希土類）といったレアメタルが不可欠である。これらのレアメタルは一〇〇パーセント中国に依存している。江西省の鉱山に眠っているこうした元素を取り出す過程で、深刻な環境汚染が進んでいるのである。

昔は農民が手押し車で山から工場まで鉱石を運んでいたが、人件費の上昇に伴い、採掘現場に直接硫酸をかけて希土類を浸出採取する荒っぽい生産方式が考え出された。これなら輸送コストが大幅に削減できる。しかし一〇〇〇トンの鉱石から取れる希土類元素はわずか二トン、つまり九九八トンの汚染された土砂は、再処理されないまま、川に廃棄されている。

同様の事態は内モンゴル自治区でも起きている。希土類を取り出した後、残った放射性物質（トリウム）が貯水池（テーリングポンド）に貯蔵されるが、数年前の集中豪雨でこの貯水池が決壊して、核物質が黄河に流れ出した。

中国政府は厳重警戒するよう通達を出し、工場や鉱山の稼動を一時停止させたが、その結果、希土類価格が高騰した。他の地域でなんとか間に合わせようと、希土類鉱山の秘密採掘や乱開発がさらに多発しているのである。

修復できるか日中レアアース交流会

二〇〇五年まで続いてきた日中希土類会議が〇六年の第一八回大会から突然キャンセルになってすでに三年が経った。中国側の一方的なドタキャンであった。中国側の言い分はこうだ。

「安値で希土類原料を日本市場に出してきた結果、資源開発の現場で環境問題が深刻になっている。日本側は受益者としてその責任の一端を負担してもよいのではないか」

日本の参加者は経済産業省の役人と学者がほとんどで、最新技術を報告できる民間企業が参加していなかったのも、中国を怒らせたもう一つの原因だった。

〇五年一一月に北海道で開催された会議には、中国側は、発展改革委員会の王彩鳳氏を団長に、全国より選りすぐりの主力希土類工場のトップ一三名を送り込んできた。一方の日本からは経済産業省を中心とした八名とオブザーバーとして新金属協会会員など総勢一三名が参加した。日本側は真摯に対応したものの、中国側からは、なぜ希土類分野の先進的技術やアプリケーションの開発について意見交換できないのかといった不満の声が上がった。

日中のこうした関係には、どうやらボタンの掛け違えがあるように見える。日本側には、極端にいえば中国から資源を買ってあげているという意識があった。それに対して中国側は、貴重な資源を放出している見返りに日本の技術を欲しいのに、日本側は知らん顔をしているという思いがあった。

中国からの希土類原料の対米輸出は一二パーセント、欧州向けは一八パーセント、それに比べて日本向け輸出は五四パーセントにも上る。ここ数年、中国は日本の希土類業界への原料安定供給に無理をして対応してきたのに、日本からの技術的な支援や協力は一切ない。

こうした中国の不満が希土類交流会の突然のキャンセルという形で表面化した。ことの重要さに気がついて警鐘を鳴らしたのは希土類メーカーではなく、何と世界のトヨタであった。世界同時金融危機の影響もあり希土類の世界市場は暴落したが、ハイブリッド車に不可欠なディスプロシウムの価格は下落する様子はない。どうしたら中国といい関係を築けるか、トヨタは対策を練り始め、奥田会長の働きかけもあって、〇九年から新たに日中レアアース交流会が再開する見込みとなった。

携帯電話ブームが飛び火、アフリカ資源争奪戦

アフリカでも、資源戦争の影響が出ている。携帯電話が世界的に大ブームのため、タンタル資源争奪戦が勃発したのだ。

タンタルは携帯電話の小さな部品タンタルコンデンサに不可欠な資源である。カナダ、オーストラリア、そしてコンゴ民主共和国（旧ザイール）などで採れる。IT革命が進めば、その分タンタルコンデンサが深刻な不足に陥ることは確実である。

一九九八年から内戦が勃発していたコンゴでは、人口五〇〇〇万人のうち三〇〇万人が虐殺されたといわれている。政府組織の最大勢力はコンゴの東側を拠点とし、全土の五分の二を勢力下に置いている。その地域には世界でも有数の良質なタンタル鉱山がいくつもある。

もともと農作物を作って生計を立てていたフツ族は不作のため、スズ鉱石の中に含まれているタンタルを手で掘り出して生活するようになった。こうしたガリンペーロ（採掘者）たちが鉱山から市場までタンタルを売りに行く道中、至るところで待ち構えている反政府組織の兵士が通行料を要求する。ガリンペーロたちは、生き延びるために、泣く泣く現物タンタルで払うしかない。

コンゴの国民一人あたりの年間国内総生産（GDP）は一〇〇米ドルほどだ。世界でも最貧国グループに属する。ガリンペーロは一キロあたり約三〇ドルで仲買人に売る。落盤で生き埋めになる危険を冒しながら、必死の思いでひと月に二キロ採れるかどうかのタンタルが、ガリンペーロが市場に着くときにはほとんど手元に残らないのである。

内戦を悪化させるタンタル資源争奪戦

ガリンペーロから仲買人に、仲買人から集荷業者に、そして集荷業者から海外のタンタル加工業者に販売するとき、値がどんどん上がっていく。無論、販売価格は国際相場次第であるが、二〇〇〇年頃は大体一キロあたり三〇〇ドル以上で取引されていた。末端市場の日本に来るときには、タンタルコンデンサとして当初の三〇ドルに付加価値がつき、二〇〇倍（六〇〇〇ドル）ぐらいの値がついている。

タンタルをめぐって、周辺国も内戦に絡んでいると見られている。WTO（世界貿易機関）の調査は、コンゴ周辺のルワンダをはじめとする計五カ国がコンゴ内戦に介入していると報告している。その五カ国はコンゴ内部に軍隊を送り込み、勝手に鉱山を支配下におき、税金を取り、あたかも自国で算出したかのように輸出しているのだ。ルワンダではその輸出総額が同国の国家予算に匹敵するともいわれており、そうした収入が軍の収益になっているという。

現在、反政府軍側にルワンダとウガンダがつき、カビラ政権側にジンバブエ、アンゴラ、ナミビアが回っているようだ。

コンゴ政府は内乱を治めるため、また隣国に貴重な資源が流出しないように国連に要請している。

フィンランドの携帯電話企業であるNOKIAなどはコンゴ産のタンタルで作られたコンデンサの不買運動をすることで、こうした情勢に対する抗議の意思を表明したが、実際のところ、マーケット上で効果的に示すことはできなかった。逆にその情報を利用して、タンタルの供給安定性を煽るメタルトレーダー（金属商）が出てくる始末であった。

タンタルの暴騰暴落を引き起こす要因

二〇〇〇年秋、アメリカ・サンフランシスコで国際タンタル会議があった。通常、ポンドあたり五〇ドルで取引されるタンタル鉱石の市況が、一時二八〇ドルまで跳ね上がった頃であった。この異常な高騰に世界中のタンタル関係者が驚愕し、会議には生産者からスクラップ業者に至るまで、あらゆる関係者が集まった。

当時、私はエストニアとロシアからタンタル原料を買っており、ショートする危険性はなかった。しかし驚いたのは、その会議後、つるべ落としのように相場が暴落したことである。二〇〇ドルを切るところまで急落した。

後から振り返ると、あれがＩＴバブル崩壊の前兆であった。世界のタンタル需給はすでに飽和状態になっていたのだ。いったん相場が下がり始めると、下がり切るまで誰も手を出さなくなる。

筆者も、契約交渉の行き違いから取引先が引き取り拒否を宣言し、結果として一億円以上の評価損失を出してしまった。

当時は一体何がこうした高騰や暴落を引き起こしているのかが見えず、ただただ暴落市況に恐怖を覚えた。のちにコンゴでの内戦悪化が原因であることが判明し、投機家たちの動きが裏で影響していたと知る。コンデンサの世界最大の原料供給メーカーであるシュタルク（ドイツ）とキャボット（米国）が何らかの価格操作を働いたという陰謀説も流れた。

その後のタンタル市況がどうなったかというと、国際市況が下がったためルワンダなどコンゴ隣国からの供給量は減少した。

タンタル資源の需要シェアの三割を日本が占めている。日本の若者が楽しげに使っている携帯電話にはアフリカのガリンペーロたちの血が流れているのだ。芋を掘れなくなった労働者たちの上前をはねる軍隊や集荷業者たちの欲望が渦巻いている。そして人類の止まることのない破壊行為と乱開発の現場で、森を追われた動物たちが泣き、森林破壊がさらに進んでいるのである。

世界のニッケルの三割が埋まる南の島

仏領ニューカレドニアは南太平洋の美しい珊瑚礁に囲まれた平和なリゾートである。この島のジャングルに入るとカグーという不思議な鳥に出会う。カグーは絶滅寸前の国鳥で、体長は六〇センチぐらいの飛べない鳥だ。不思議なことに「ワンワン」と犬のような鳴き声を出す。オレンジ色のくちばしで上手にミミズを啄《ついば》み、バレリーナのような細い足でひょこひょこ歩く姿はまことに頼りない。白い後ろ髪をゆらせて密林に消えてゆく姿は一見、ユーモラスだが、飛翔能力を失ったために仕方なくこの地に縛られて生きてゆかねばならないペーソスを感じる。

カグーはニューカレドニアが数億年前に隆起して以来、天敵のいない環境の中で生き残ってきた、世界に存在しない希少種である。森村桂のエッセイ『天国にいちばん近い島』でも知られるニューカレドニアのもうひとつの顔である。

四国ぐらいのこの小さな島には他にも驚くことがある。何と世界のニッケル資源の約三〇%がこの小さな島に偏在しているのだ。ここのニッケル鉱山は一五〇年の歴史がある。かつて明治時代には日本の契約労働者が八〇〇〇人の規模で採掘作業に来ていた。不幸なことに、このミンジャポン鉱山で働いていた日本人は太平洋戦争後すべての土地や資産を収奪され、帰国した。今も全島の日系混血を合わせると総勢数万人いるといわれている。

地獄に一番近い島、ニューカレドニア

首都ヌーメアから一時間半ほど車を走らせると、世界最大級のゴロ・ニッケル工場に着く。ゴロ・ニッケル選鉱工場はリビエルブルー州立公園近くにある。リビエルブルーとは青い川という意味だが、公園内を流れる川はコバルトブルーにキラキラ光っている。

ニッケル鉱山はニューカレドニアの最大の産業で、貿易収入の九〇パーセントにも上っている。ところが近年、杜撰《ずさん》な開発の結果、珊瑚礁への汚水の影響が懸念されている。ニッケル採掘のための闇雲な森林伐採が、甚大な環境被害となって現れているのだ。この地

ニューカレドニアに棲息する絶滅寸前の国鳥カグー

域にしか生存しない生物が絶滅する危険性も強まっている。
二〇〇六年一月までに工事の七〇パーセントが終了したが、先住民を中心に強い反対運動が起きた。〇六年三月には建設地で地すべりが起き、海洋汚染も実際に発生した。先住民がバリケードを張るなどして工事が一時ストップする騒ぎとなった。先住民にとって珊瑚礁の海は先祖が守ってきた生活の糧である。二五〇〇人規模のデモも行われ、〇六年六月には、裁判所が環境影響評価の不十分さなどを理由に操業許可を取り消したが、建設許可は有効なまま、現在もまだ泥沼状態にある。現場は依然ピリピリした雰囲気に包まれている。

ニューカレドニアのゴロ・ニッケル鉱山

一方、資源インフレのあおりで企業買収（M&A）も相次ぐ。世界最大のニッケル企業ファルコンブリッジを買収した資源メジャーのインコ社が、フランスのルニッケル社からニューカレドニアのニッケル採掘権を買収したのである。〇五年のことだ。ところがそのインコ社を、ブラジルの資源メジャーのヴァーレ（元CVRD）が買収した。ニューカレドニアのニッケル鉱山は現在、ヴァーレの傘下にある。ニッケルの資源メジャーとしては文句なしに世界最大で、ゴロ・ニッケル開発の大規模プロジェクトを引き継いでいる。このプロジェクトには最大の需要家である日本の住友金属鉱山と三井物産も出資している。

ニューカレドニアといえば美しい自然が魅

力で、年間一〇万人以上が訪れる観光地である。私たちの豊かな生活を支えている技術革新の裏で環境が破壊されている。資源の大半が日本に供給されているにもかかわらず、日本人のほとんどがこうした実態を知らない。

この島には四〇パーセントを占めるメラネシア系現住民と二〇パーセントを占めるポリネシア人や日系四世、アジア系移住者が共存している。彼らは環境破壊が進んでも他に行くあてもなく、希少種カグーと同じように、この島に縛られて生きてゆかねばならないのである。

ニューカレドニアが「地獄に一番近い島」といわれないように、安全で持続性のある資源開発が期待されている。

資源開発に求められる企業の社会的責任(CSR)

インドネシアのバツ・ヒジャウ鉱山を採掘する日本人がいる。貴島兼隆氏である。ニューモント社との合弁会社を現地に作り、金と銅の採掘を行っている。彼によれば、ニューモント社は、自社で一〇項目からなる社会的責任遵守事項を定めている。また、国連グローバル・コンパクトをはじめ、ICMMの持続可能性基準や世界人権宣言、腐敗に反対するパートナーシップ原則などの行動基準を採択し、それに基づいた事業活動を行っている。具体的にはバツ・ヒジャウ鉱山では、労働条件の安全維持、職業教育訓練校を設置して、教育に力を入れている。また、環境基準については、テーリングを水深一〇〇メートル以深の海底に放流し、水深三〇〇〇～四〇〇〇メートルの海溝に沈下させる方法で環境への負荷を最小にしている。

さらには、景観の保全や珊瑚礁の復活、植林などのコミュニティ環境プログラムの実施、縫製や織物などの地元産業の活性化、マラリア撲滅などにも貢献している。

この結果、インドネシア政府より「真にコミュニティ開発に貢献した企業」として表彰されるなど、多大な評価を受けている。資源開発にも今後はCSR（企業の社会的責任）が必要である。

CSRランキング世界一の新興資源メジャー

同様のことが、新資源メジャーの最右翼であるエクストラータ（スイス）の企業活動においても見られる。M&Aを通じて急速にその規模を拡大しているため、さぞや地上げ屋的手法で敵対する企業を買収するのかと思っていたが、「企業買収の成功の可否は社会的信頼感が鍵」というのだ。

何とエクストラータは二〇〇七年度のCSRランキング世界一である（ただし、ランキングの評点の内容は不明であるから今後も観察が必要である）。世界企業になるためには戦略的にCSRに取り組むのが世界の趨勢なのである。

エクストラータはレアメタルや非鉄金属を中心に取り扱う新興の資源メジャーであるが、戦略的に資源企業を買収することへの説明責任を徹底させている。企業の総合力として財務力と社会貢献（環境問題など）をアピールして急拡大してきたのだ。そこには自らを変えるためには社会そのものを変えなければならないという発想がある。

確かに買収交渉の現場は「蛇とマングースの戦い」であるが、実は企業に真の社会的経済的価値を提供させる行為がM&Aであり、CSRなのだ。同時に企業と社員と社会は一体であり、利益を地域社会に還元し、自主的に品質保証や環境に責任を持つのが企業の目的であり、これを実行するのがCSRの本質であると、彼らはいう。

実際に、パプアニューギニアで某欧州メジャーの鉱山を見たときのことだ。周辺住民への個別説明はもちろん、開発基準も世界標準を用いていた。資源開発に関する法制が未整備のアフリカ各国で乱開発する中国とは大きな違いだ。

企業価値が総合的に評価される時代へ

資源の開発輸入という商業行為には、これまで常に、環境破壊の側面があった。すなわち武器を扱う商人のことを「死の商人」と呼んだように、我々資源を扱う商社には環境破壊商人という側面があった。

しかし、時代は大きく変化してきている。

企業価値を単に利益や規模だけで計る時代ではなくなったのだ。企業統治や法令順守、従業員の満足度、社会貢献、そして継続可能な環境維持の観点から、企業の価値は総合的に評価されるのである。CSRは企業存続のため、事業拡大のために大変重要なのである。環境や人権に配慮したうえで、利益を稼がなければならないのだ。エクストラータはそれに成功し、ステークホルダーからの信頼を勝ち取り、次々とM&Aを成功させているのだ。

世界一の都市鉱山を持つ日本

日本は、第二次オイルショックの後、省エネ技術を革新することで劇的な経済成長を遂げた経験がある。資源不足の危機にある二一世紀は環境の世紀といえる。日本は環境／リサイクル技術でこの危機を乗り越えるべきである。

環境技術の輸出は、日本の競争力を高めることにもなろう。世界一の資源輸入国であるのは一見弱みに見えるが、見方を変えると、世界一資源リサイクルが可能な国ともいえる。

また日本は資源が無いため素原料の輸入をしてきたが、加工して輸出した分を除いた以外はすべて国内に蓄積されている。例えばPC基板などはレアメタルの塊のようなものだ。自動車の排ガス処理の触媒である白金も昔からリサイクルされている。一時は斜陽産業となっていた鉱山業が、その処理技術を生かして、資源のリサイクル業者として日の目を見るようになってきた。

また、近年、都市鉱山（アーバンマイン）という新語が生まれた。日本は世界一の都市鉱山国家である。鉱山といっても従来あるような山を掘り起こすものではなく、廃棄された家電製品内に含まれる金属類（金、プラチナ、銀などの貴金属）や、工場で出る本来廃棄処分される産業用の端材であるチタン、タングステン、モリブデン、コバルト、ニッケル、バナジウムなどのレアメタルをリサイクル処理することである。現時点で日本の都市鉱石でも工場内都市鉱山の回収率はかなりのものであるが、家庭内都市鉱山は残念ながら集荷システムが完備されていないために経済合理性には程遠いのが実態である。今後は、広く持続的な発展が望める循環型経済を構築するために、都市鉱山開発が不可欠である。

リサイクル推進に必要なきめ細かい回収システム

では実際のところ、日本のリサイクルはどのくらい有効に進められているのであろうか。現在実施されているレアメタル・リサイクルの実態は次の通りである。ニッケル（八一パーセント）やガリウム（七九パーセント）のように高いリサイクル率を示すものから、ほとんどリサイクルされていないものまで多種多様だ。

多いものはステンレス鋼中のニッケルなど特殊鋼の添加元素、スーパーアロイやチタン合金など特殊金属の自家発生屑や加工屑、超硬合金など使用済み工具から回収されるものだ。

ニッケルが高いリサイクル率になっているのはニッケルの製錬、特に鉄鋼原料用のフェロニッケルの製錬が、エネルギー浪費型の技術であるため、コストなども含めてリサイクルメリットが大きいためである。クロムやタングステン、モリブデンなども同様である。

一方、同じ特殊鋼分野でもマンガン、ニオブ、バナジウムなどは電気炉などの二次製錬工程で酸化されやすく、これらはむしろスラグから酸化物として回収されている。

そのほかに回収が有効なものには、熱交材料からのチタン、バネ材からの回収ベリリウム、キャパシター材からのタンタルがある。ガリウム、ゲルマニウムそしてインジウムな

レアメタルのリサイクル率

	リサイクル率	主要リサイクル源	主要用途
ニッケル	81%	ステンレス加工、老廃	ステンレス、めっき
ガリウム	79%	半導体加工屑	半導体
レニウム	49%	使用済み触媒	触媒、フィラメント
チタン	50%	チタン合金屑	酸化チタン、チタン合金
ジルコニウム	33%	使用済耐火レンガ	耐火レンガ、耐火物
クロム	27%	特殊鋼	特殊鋼、耐火物
アンチモン	25%	アンチモン合金、蓄電池	樹脂難燃助剤
コバルト	23%	磁石、触媒	磁石、工具、磁気テープ
タングステン	19%	使用済み工具、触媒	工具、触媒
マンガン	6.5%	鉄鋼スラグ	鉄合金、乾電池
ストロンチウム	0%	―	ブラウン管、磁性体
タリウム	0%	―	ガラス添加

ど化合物半導体からのリサイクルも回収率は高い。

使用済み触媒の回収が進んでいるのは、プラチナ、パラジウム、レニウムなどが多く、超硬工具からの回収にはタングステン、タンタルがある。

今後は、市場別、分野別、元素戦略別のきめの細かい回収システムの完備が望まれる。

全体的に見たとき、リサイクルにはまだまだ改善点がある。日本人はもともと律儀な性格だから、お上から「ごみは分別して出しましょう」と言われれば真面目に対応するが、実はごみ処理を業者任せにしてリサイクルしていない自治体もある。

また、リサイクルの精錬プロセスは歩留ま

りが低い。処理コストも高く、実用性は少ない。

有用なリサイクル資源は中国に流出

電池も磁石も実質的なリサイクルはやっていないに等しい。

そして有用なリサイクル資源の多くが中国に輸出されている現実もある。早い話が、回収するコストの方が高くついてしまう場合、不法投棄が後を絶たないのだ。そしてそれらが近隣の中国というブラックボックス国家に輸出されてしまうのである。

家電リサイクル法は徐々に馴染んできた。大型ごみになる洗濯機やクーラーに加えて薄型テレビと乾燥機も家電リサイクル法の対象となったが、後払い方式は消費者負担を増加させている。先払い方式の欧米を見習うべきではないか。製品購入時にリサイクル・コストを負担することで完全回収を目指すべきだ。

昨今ではシャープをはじめとする家電メーカーがレアメタルのリサイクル技術開発をスタートさせている。民間企業が、スクラップからの有価金属の回収を資源戦略面から強化する動きは望ましい。

産官学共同のリサイクル技術が急務

使用済み自動車や廃家電製品などから高品位な地金を再生するリサイクル技術の開発は、資源保護・廃棄物抑制の観点から極めて重要である。一方、技術的・経済的に克服すべき課題は多く、多大な開発費用とリスクを伴うため、民間の一企業で行うのは困難である。

現在、レアメタル・スクラップの処理方法として通常使用されている方法は、石油などの熱エネルギーを利用した溶解技術であるが、エネルギー効率が悪い、温度制御中の不純物の抑制が困難であるなどの問題を抱えている。このためクリーンな石油代替エネルギー利用を図るとともに、LNGなどの利用を可能とする新たなレアメタルのリサイクル技術の確立も求められている。

従って、NEDO（新エネルギー産業技術開発機構）等が積極的に主導する事業として推進するのが妥当であろう。

NEDO主導による低品位なレアメタルから高品位な地金に再生するリサイクル技術は、高い付加価値を有する製品の生産技術として海外との比較においても優位性があり、国内産業の強化だけではなく、海外技術移転などによりグローバルな地球環境負荷の低減に対する寄与も期待できるだろう。

日本は環境技術を輸出することで世界に貢献するべきである。環境技術輸出は、相対的に日本の競争力を高める。政府間協力により、無償で中国、ロシア、インドに輸出し、その見返りに資源の安定供給を約束させればいい。

日本の先端技術が地球温暖化を七五パーセント削減

今から三〇年前、筆者が初めて希土類ビジネスを手掛けた当時、ソ連（現ロシア）から輸入された金属セリウムや金属ランタンの中に混ざっていたレアメタル、ネオジムが滞留在庫になっていた。市場開発のために輸入したその滞留在庫を処分するのが、筆者に与えられた仕事であった。

あらゆる需要家や研究所廻りをしたが、誰一人興味を持ってくれない。当時ネオジムの価格は安いものの、ライター石に混合使用するぐらいしか使い道がなかった。

ところがそのネオジムで世界的な大発明を成し遂げた日本人がいる。ネオジム鉄ボロン磁石の開発者である佐川眞人氏（当時住友特殊金属）である。ちょうど筆者がネオジムを売り歩いている頃、佐川氏はエネルギー効率を四分の三削減することが可能な、この希土類磁石の大発明をした。

すなわち、佐川博士の発見は地球上の二酸化炭素排出量を七五パーセント削減したともいえる。京都議定書発効前であったため、世界的な貢献をアピールするチャンスはなかったが、ノーベル賞を受賞しても何ら不思議ではない程の大発見である。

日本はもともと、磁石材料の研究で世界をリードしてきた。例えば本多光太郎博士（一八七〇〜一九五四）がKS鋼とNKS鋼を、三島徳七氏（一八九三〜一九七五）がMK鋼、アルニコ磁石を、一九三〇年代になると加藤与五郎氏と竹井武氏がフェライト磁石とサマリウムコバルト磁石を開発した。そして佐川博士のネオジム鉄ボロン磁石である。

現在、この磁性材料の中では佐川博士が開発したネオジム鉄ボロン磁石が市場の中心的存在となっており、合金量で一万八〇〇〇トンの需要規模まで成長している。二〇一〇年には二万八〇〇〇トンの国内需要が予測されており、ネオジム鉄ボロン磁石の用途はますます拡大している。自動車、OA、デジタル家電、通信、AV、医療、産業用ロボット、磁気浮上交通など無限の可能性を秘めている。

地球環境面でも、希土類モーターの出現は省エネルギー効果として六割の改善が実現できたといわれる。このように日本の技術レベルは非常に高く、上手に利用すればかなりの有効活用ができるのである。

国際競争力を失いつつある日本の素材産業

日本の産業界は歴史的に過当競争が激しい。政府は産業振興政策において、あえて過当競争を是正するといった政策を打ち出してこなかった。安値で手当てした輸入資源に付加価値をつけて製品輸出に注力してきた産業構造は、素材や部材、加工材といった産業分野で競争原理を煽り、国際競争に打ち勝つように指導してきた。

つまり貿易立国として、原料を安価に入手し、技術立国としての強みを最大限生かしながら、製品の競争力を高めるといった貿易政策を取ってきたのである。

その結果、電子素材や電子部材や加工材は世界シェアの六五パーセントを占めるようになった。アッセンブリー産業としてパソコン、薄型テレビ、携帯電話、デジタル家電のシステム機材の多くは中国や台湾、韓国に移転したが、その素材としての電子材料や加工材は日本の技術でしか生産できないため、日本に残ったのである。

しかしながら、世界市場の資源インフレと国内市場の製品デフレのため、価格転嫁ができず、昨今のレアメタル・パニックは日本の素材メーカーを大変苦しめた。「供給責任がある」という呪縛に縛られながら、素材メーカーは過当競争を強いられたのである。

縦割りの産業構造は供給者に対して常に競争原理が働くため、余剰金が蓄積しにくい構

パネルディスプレイなどに使用するインジウム

造になっている。
従って、自動車産業やセット機器などのハイテク家電産業は、日本の素材産業の犠牲のうえに成り立っている、繁栄しているとの見方もできる。
非鉄・鉱山メーカーや素材メーカーは含み益が少なく、資源関連分野に再投資ができないのが実体である。最近では生かさず殺さず付き合ってきた原料素材メーカーに資源投資をする力がないと知った自動車産業は、自らの商社系列を利用した資源投資を模索している。
一方、力をなくした日本の素材産業に対して海外資本が経営支配を画策する動きもある。世界で一流の技術を保有しているにもかかわらず、純資産評価の低い素材産業はM&Aの標的にされるであろう。

今後、日本の産業構造の変革が進み国際競争力を増さない限り、素材メーカーや加工材メーカーにもM&Aの波が押し寄せることになる。

技術立国としての強みを活かすには

日本の産業界の縦割り構造を改善して鉱山会社（または素材メーカー）が資源に再投資できるような仕組みを構築する必要がある。これまでの日本の電子産業は資源を軽く見てきたため、より利益の取れる川下市場を重視したが、組み立てだけのアッセンブリー産業なら韓国でも中国でも誰でも真似ができる。資源から最終製品までバランスのとれた産業構造にならなければ日本の強みが発揮できないのだ。

現時点で電子材料の開発技術には韓国や中国と比べかなりの優位性がある。日本の強みである未踏技術の開発や省エネ技術、エコリサイクル技術を利用し、常に優位性を保つことが重要だ。日本が資源争奪戦に生き残れるか否かは、最終的には日本の技術立国としての優位性をいかに発揮するかということに決定付けられる。

先行きのレアメタルの価格推移に関しては、構造材用のレアメタルやベースメタルは安

2009年以降の各用途別、元素別の市場はどうなるか

安全	半導体材料	日本の優位性持続。半導体不況は一過性
	レンズ材料	優位性は持続
注意	化合物半導体	ガリウムの備蓄のチャンス
	特殊鋼原料	既存の備蓄（7鉱種）を強化するべし
	蛍光体材料	棲み分けが進むので低級品は空洞化
	コンデンサ材料	タンタルの備蓄のチャンス
	超合金材料	チタン、ニオブ、レニウムなどに注目
	触媒材料	コバルト、モリブデンに注目。優位性持続
危機	磁性材料	中国からの希土類原料の安定供給次第
	電池材料	リチウム、コバルト、希土類の供給の抜本策必要
	超硬工具材料	タングステンは中国以外の供給源が必要

定していくと考える。

世界経済の金融危機はサブプライム問題から発生したが、政治的な要素も含めて、中国にもかなりの影響が出た。世界的不況はしばらく続くだろう。中国でも経済バブル崩壊が起きる可能性が高い。

そうした状況において、電子材料元素と機能性材料元素の価格が暴落するとは考えにくい。なぜなら、中国市場はもとより、インド市場、ロシア市場、トルコ市場、ブラジル市場などの発展途上国におけるデジタル需要が停滞することはあり得ないからである。

現在の景気後退の時期こそ、日本のデジタル産業業界の構造欠陥を是正するべきである。

レアメタルの取引分類と市況との関係

	元素名	特徴	市場規模	偏在性	市場の影響	参考
電子材料元素	インジウム、コバルト カドニウム、ガリウム ゲルマニウム、タンタル ニオビウム、リチウム ストロンチウム、ビスマス	IT分野である為、資源問題よりも川下産業の影響を受けやすい。	数百トンから 数千トン	偏在性が高いが副産でもでる元素もある。	相対取引が中心。投機や操作が入りやすい。	新備蓄鉱種となるように検討中。
機能性材料元素	チタン、希土類 ジルコニウム、アンチモン マグネシウム、タングステン モリブデン、テルリウム セレニウム	機能性材料である為市場の動きは複雑である。	数千トンから 数万トン	偏在性は高い。	人為的な貿易政策に乗りやすい。	中規模の市場であり複雑取引も有。
構造材用合金	ニッケル、クロム マンガン、モリブデン タングステン、バナジウム ニオブ、シリコン	ステンレス市場、特殊鋼市場の景況の影響を受けやすい。	数万から 数10万トン	偏在性が高い割には賦存量は充分。	ステンレス分野は需給の変化が激しい。	国家備蓄７鉱種であり鉄鋼業界に関連。
ベースメタル	銅、亜鉛 鉛、アルミニウム スズ、ニッケル	相互に影響を受けやすいが、ヘッジファンドも入りやすい。	100万トン以上の市場が対象	偏在はしていない。何処からでも算出する。	金融現象の影響強い。	市場が大きくヘッジファンドが入りやすい。

分野別金属素材の市況変動（2003年1月との比較）

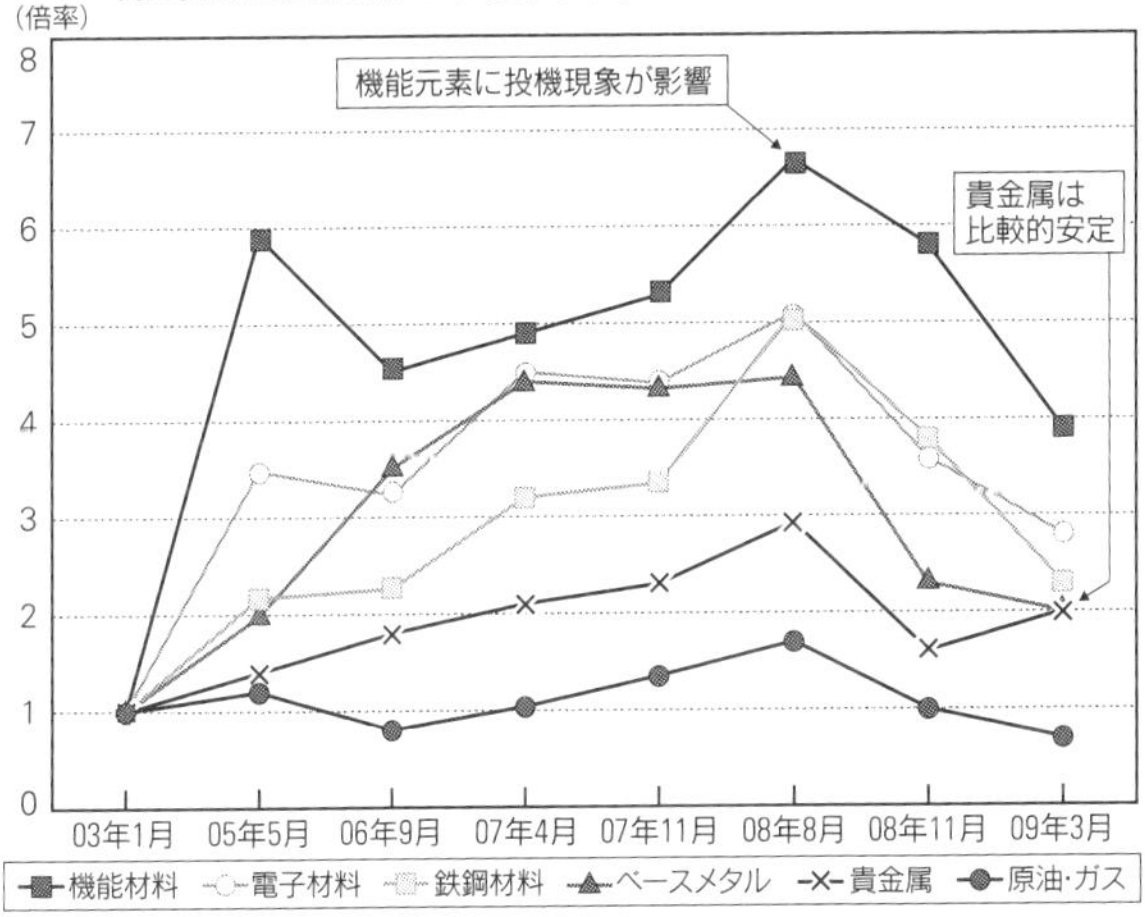

かつての日本は鉱山国家、今や資源輸入大国

日本のレアメタル産業界にはいくつかの構造欠陥が存在する。

例えば、二〇〇七年に北海道にある日鉱金属の豊羽鉱山が閉山になった。鉛や亜鉛、インジウムが採れた鉱山であった。この閉山により、国内の鉱山は実質住友金属鉱業の菱刈金山だけになってしまった。

かつて日本は鉱山国家であった。非鉄企業の沿革は江戸時代まで遡る。もともとは住友本家も京都の銅《あかがね》を商っていた商業資本である。明治の富国強兵政策により国家の精錬事業を民営化するところから住友グループの発展は始まる。今でも白水会（住友グループの幹部の集まり）の上席には住友金属鉱山が座っていると聞いている。

「鉄は国家なり」を標榜する住友金属工業は傍流扱いである。戦前戦後を通じて三菱財閥、三井財閥の中枢も戦争景気に沸いた。非鉄企業である三菱金属（現在の三菱マテリアル）や三井金属鉱業が時代を担った。帝大の金時計組、銀時計組がこれらの企業に先を競って就職したのはいうまでもない。

日本は元来、非鉄大国であったが、資源の枯渇と戦後経済の変遷とともに一〇〇パーセント資源輸入国となってしまった。一九七〇年以降、精錬業が立ち行かなくなり、非鉄産業は典型的な不況産業の烙印を押されるようになったのである。

探査・探鉱技術不足と環境問題への対応

かつての鉱山国家は、国際競争力を喪失し、稼動しているまともな鉱山はとうとう菱刈鉱山だけになったのである。代わりに日本企業が選択したのは精錬受託業であり海外からの精鉱輸入に特化してしまった。

では、日本は一〇〇パーセントの資源輸入国に成り下がったのかといえば、そうではない。例えば、タングステンは日本にもある。ほぼ掘り尽くされたといわれているが、まだ残っている。ただ、採掘コストが高くつく。それでもレアメタル・パニックが勃発した時のように市況価格が四～五倍に跳ね上がる状況だと、採掘コストも十分見合う。

また、閉山した国内鉱山の豊羽鉱山で採掘される亜鉛鉱石中のインジウムの含有量は世界最大である。ただし、「札幌の奥座敷」と呼ばれる定山渓温泉が近くにあり、その温泉源に向かって鉱床が延びているため、温泉に近づけば近づくほど岩盤温度は高く二〇〇度にもなる。こうした問題もあり、採掘を断念してしまった。しかし、探査技術・採鉱技術のイノベーションがあれば、堆積場に残っているインジウムを資源として利用できる可能性はある。

秋田県の北部にはレアメタルを随伴する日本有数の黒鉱鉱床がある。鉛、亜鉛のほかにガリウムやビスマスなど様々なレアメタルを含んでいる。ただし、ここの問題点は鉱床が国立公園の中にある点だ。環境問題をクリアしなければ、採掘が非常に難しい。

もともと鉱山国家で数多くの金属資源があり、標本のような国だといわれる日本だが、今後、開発に乗り出しても、環境問題等を完全に解決することは難しく、一部の鉱山でしか資源採掘はできないであろう。また、モリブデン鉱山などもあるが、これらは鉱床規模が小さい。

探鉱採掘計画を先延ばす非鉄企業と素材産業

それでは日本が支配できる海外鉱山はどのくらいあるのか。

鉱物資源は、探鉱のために地質調査を行い、実際のボーリング調査にも数年がかかる。市況が低迷しているため赤字垂れ流しの非鉄メーカーは、探鉱や採掘計画をほとんど先延ばしにした。一〇年後の利益のために、今多大なリスクを背負う選択をしなかったのである。

二〇〇〇年代になって先行きが多少明るくなっても、それまでの在庫調整や劣悪な経済環境を経験してきた企業にとって抜本的資源開発まで着手した例は少なかった。

供給不安が表面化し始めると、仮需要が加速する。そのために市況は上ぶれするが、それぞれの思惑のために乱高下する結果となり不安定市場を誘導する。その結果、資源開発を決定するのは、いずれも数年遅れとなってしまった。

住友金属鉱山がインドネシアやフィリピンで鉱山開発しているが、世界の趨勢には及ばないだろう。今のままでは取り残されるシナリオしかない。

歴史に「もしも」は意味がないことは重々承知しているが、日本の非鉄メーカーは二〇〇五年時点では世界の潮流に乗れるチャンスはいくらでもあった。世界第二位の経済大国の資源企業が、指をくわえて世界で起きているM&Aの動向を見ていただけというのは、やはり寂しい。

日本に非鉄メジャーが育たないのは歴史的な背景もあるが、その本質は危機感がないためである。

護送船団方式で守られてきた非鉄企業は国内産業の中でも成長から取り残され、「ぬるま湯体質」の中で育ってきた。一九七〇年以降の資源輸入時代に突入した時に資源開発を求めて海外に本格進出すればよかったが（事実、三井がペルーのワンサラ鉱山などの海外拓殖の動きもあったが）、むしろ安易に、安くて良質の原料を資源メジャーから購入するという道を辿ったのである。

鉱山開発はギャンブルである。事実、世界同時金融恐慌の結果、世界中の鉱山や精錬工場は閉鎖された結果、開発計画の無期延期の決断を迫られている。

しかし重要なのは短期的な損得ではなく長期的なビジョンではないか。グランドデザインができていれば、優先順位が明確になる。与えられた条件の中でまず何をすべきか明確になる。

日本にとって資源問題は回避できない問題であるからこそ、国家規模で哲学を持って臨むべきだ。そのために政治家や行政は「言い訳や保身」を考えずに真のリーダーシップを生かすべきだ。その時に「国家百年の大計」が必要になる。もっと率直に言えば、一〇〇年先のことなど誰も分からないのだから、「探検精神」が必要になるのだ。

話は横道にそれるが、中国は世界同時金融危機における不況対策のために緊急内需拡大策を採用した。予算は四兆元（約五六兆円）である。その決定スピードは素晴らしく速かった。また、米国の緊急経済安定化法案は〇八年一〇月に七〇〇〇億ドル（約七四兆円）規模の公的資金を注入すると即決した。

日本は一万二千円の定額給付金を国民に支給する話をいつまでも延々と論じていた。総額予算はたったの二兆円だ。それも本音は経済対策ではなく選挙対策のために、である。わが国はいつから哲学も戦略も決断力もない国家に成り下がってしまったのだろう。

不景気の今こそ資源開発に乗り出すべきだ。無論、国家の後押しが必要であることは言を俟たない。

海洋国家日本の海底資源開発

レアメタル資源の安定供給を図るうえで、供給源の多様化が抜本的な解決手段といえる。

2007年、筆者は中国と合弁会社を設立した

現在の既知の鉱床のほかに、将来の有望な供給源として挙げられるものに深海底鉱物資源がある。日本の国土は世界で一八位だが、領海を含めると世界第六位だ。

つまり日本は領海と排他的経済水域（EEZ）を合わせた面積が世界第六位の海洋国家であることを忘れてはならない。政府は「海洋エネルギー・鉱物資源開発計画」の素案をまとめ、日本の国家戦略として海底資源の開発に取り組む方針を明示した。

深海底鉱物資源にはマンガンノジュール、コバルトリッチクラスト、海底熱水鉱床などがある。マンガンノジュール鉱床は水深四〇〇〇～六〇〇〇メートルの海洋底に、コバルトリッチクラストは海山の斜面を皮殻状に覆って、海底熱水鉱床は海膨などに沿って分布している。レアアースが含まれるコバルトリッチクラストについては、開発が有望とされている日本最東端の南鳥島周辺海域で、ボーリングなどによる埋蔵量確認を二〇一二年度までに行う計画だ。

マンガンノジュールとコバルトリッチクラストはコバルト、ニッケル、マンガン、プラチナなどを豊富に含有し、海底熱水鉱床はガリウム、インジウム、バリウムなど多種類のレアメタルを含有している。日本列島の周りの資源量は莫大である。そして、すでに日本政府に海底資源の開発ライセンスを申請している英国系ベンチャーがあるのだ。

採鉱、選鉱、製錬など、技術的に解決しなければならない課題を多く抱えるものの、私は、この分野こそ、日本が国家規模で挑戦すべきだと考えている。もちろん、予期できない環境問題が生じることもあろう。しかし、レアメタル資源の安定供給を図るうえで、供給源の多様化は抜本的解決手段である。海底資源の開発は海洋国家でもある日本の抜本策であると考える。

小池百合子、予算委員会で吼える

二〇〇九年一月、小池百合子議員が予算委員会でレアメタルの備蓄について質問に立った。日本の国会で衆議院議員がレアメタル資源の重要性について質問したのは、筆者が知る限りでは初めてである。

小池議員の論点は、

1 日本の電子業界が世界の六五パーセントシェアを誇る電子材料素材の、レアメタル原料供給が確保されていないこと。

2 世界同時金融危機のあおりで市況が下がり、しかも円高メリットを享受できるチャンスが到来。

3 技術立国日本の産業を守るために、新国家備蓄を始めるべきではないか。

以上の三点であった。

小池議員は中東事情や石油資源問題に詳しいが、金属資源についても戦略性を持つべきとの見識の持ち主である。環境大臣と沖縄北方担当の内閣府特命担当大臣を歴任した後、防衛大臣となり、有名な守屋事務次官（当時）との確執を経て「女子の本懐」を遂げた女傑議員である。

麻生太郎総理と二階俊博経産相は耳慣れない質問に多少緊張した様子だった。いずれも月並みな内容の答弁でお茶を濁した印象であったが、日本のレアメタル備蓄制度が機能しているのか否かは、閣僚にとっては他人事であるに違いない。しかし、時の総理と経産相が「善処いたします」と言った以上、経済産業省や関係各省は新年度の新たなテーマとして取り組まねばならない。

レアメタルの備蓄

備蓄鉱種	備蓄日数(日)
ニッケル	21.8
フェロクロム	29.2
タングステン	20.1
コバルト	22.2
モリブデン	17.1
フェロマンガン	26.2
フェロバナジウム	18.9
平均備蓄日数	22.2

現在の日本は、鉄鋼添加系七鉱種（ニッケル、クロム、マンガン、コバルト、モリブデン、タングステン、バナジウム）について約二三日分の国家備蓄があるだけだ。加えて必要なのは、小池議員が提言する新備蓄品目すなわち電子材料元素と機能性材料元素を備蓄することだ。さらにその運営方法にも改善の余地があるのである。

例えば、米国の場合、国防総省内の国防兵站局（Defense Logistics Agency）が国の名を表に出さない形で、全世界から数年分の電子・機能素材向け資源を確保している。

戦略的備蓄は日本の安全保障

米国のように日本も秘密裏に防衛省の機密予算で備蓄することが望ましい。日本では経産省と財務省が国家備蓄を決定してきたが、投機筋にわかるような買い方をするので、戦略性に欠けていた。国家の名前で買いに出るため、足元を見られるなどの弊害がある。

筆者が提案する新備蓄制度のアイデアは次頁のとおりである。わずか六〇〇億円強の予算で二〇〇日分が備蓄できる。日本のエレクトロニクス産業の安全保障になるのである。貿易黒字の有効な使い道であり、内需拡大策や円高対策にもなるのではないか。

供給安定性についてもできるだけ一国依存にならないよう、国家としてバランスを考えながら戦略を立てるべきである。中国からの対日輸入比率は全体の何パーセントを占めているのかも検討するべきである。卵をバスケットに保管する際、幾つかの籠に分けて保管すれば、万が一の時にも安全性が増すのと同様の戦略である。

磁性材料や蛍光体も電池材料も、ガードを固く、生き残りに懸ける必要がある。蛍光体材料に関しては、低級品と高級品のすみ分けが進むと考えるが、特定のレアアースは備蓄するべきである。磁性材料や電池材料に関しても希土類、コバルト、リチウムの備蓄を増

新備蓄構想案たった632億円

品目名	世界市場（t）	日本市場（t）	目標（t）	単価（US$/kg）	備蓄額（千ドル）	備蓄額（百万円）	国家備蓄日数（日）	民間備蓄日数（日）	合計日数（日）
インジウム	864	761	190	545	103,550	10,355	91	100	191
ガリウム	173	139	34.75	400	13,900	1,390	91	100	191
レアアース	105,000	33,100	8,275	15	124,125	12,413	91	100	191
タンタル	2,500	765	191	95	18,145	1,815	91	100	191
ニオブ	33,900	7,300	1,825	52	94,900	9,490	91	100	191
プラチナ	218	74.8	7.48	26,077	195,055	19,505	91	100	191
パラジウム	216	62.3	6.23	7,270	39,062	3,906	91	100	191
ストロンチウム	520,000	34,280	8,570	5	42,850	4,285	91	100	191
合計	662,871	76,482	19,100	34,459	631,587	63,159	91	100	191

やす必要がある。

リチウムはチリで多く産出される資源だが、足元で暴騰している。

コンデンサ材料にはタンタル素材が重要である。これは非常に小さな市場だが、タンタルに代わる素材が現状では存在しない。現在、タンタル価格はそれほど大きく動いていないが、二〇〇〇年には大暴騰と大暴落を繰り返した。今後、三年以内に必ず価格の乱高下が起きると私は予想している。そうしたリスクに備えるためにも、タンタルは備蓄を増やす必要がある。

超硬工具材料に関しては、タングステンの備蓄を増やす必要がある。また、中国以外の供給先を確保する必要もある。

いずれにしても国家備蓄は「転ばぬ先の杖」、つまり「備えあれば憂いなし」ということである。

生き残りを懸け、日本は何をすべきか

日本は何をすべきか。

あと六〇年で枯渇する資源獲得競争の火ぶたが切られたのだから、のん気に構えている

わけにはいかない。特に資源外交という側面から、どのような方針のもと、何をすべきかを真剣に検討するべきである。

外交的な側面から考えると、日本は米国と中国との国際的な関係における構図を理解すべきである。

日本が産業界で国際的に優位な地位を維持できたのは、実は冷戦のように比較的資源が自由に入手できない国際政治上の事情があった時期だった。現在、そしてこれからの国際政治ならびに経済構造は、東西の逆転現象、すなわち米国の力が弱まり、逆に中国の地位が高まる状況が考えられる。

その狭間で日本の生き残る道は技術的側面にある。

日本の強みは省エネ技術、エコリサイクル技術、技術開発力に集約される。

日本が資源戦争に生き残れるか否かは、こういった日本の優位性をいかに戦略的に、効率よく発揮するかということに決定付けられる。

経済産業省の新経済成長戦略によると、日本企業の研究費用は今や世界でトップクラスである。企業と大学と政府系研究所の合計開発研究費用は日本全体で約一七兆円にまで膨れ上がっている。

元素戦略のための各国の研究費

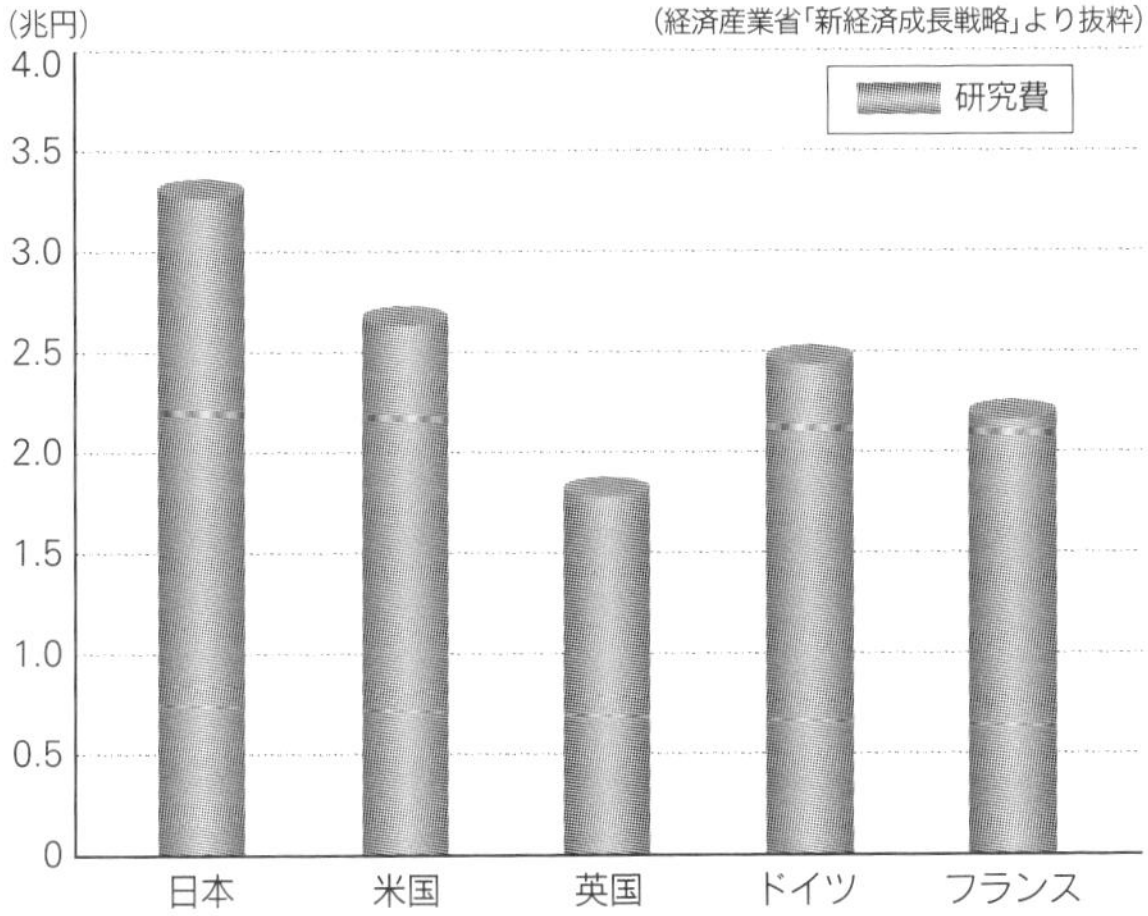

(経済産業省「新経済成長戦略」より抜粋)

元素戦略のための研究開発分析

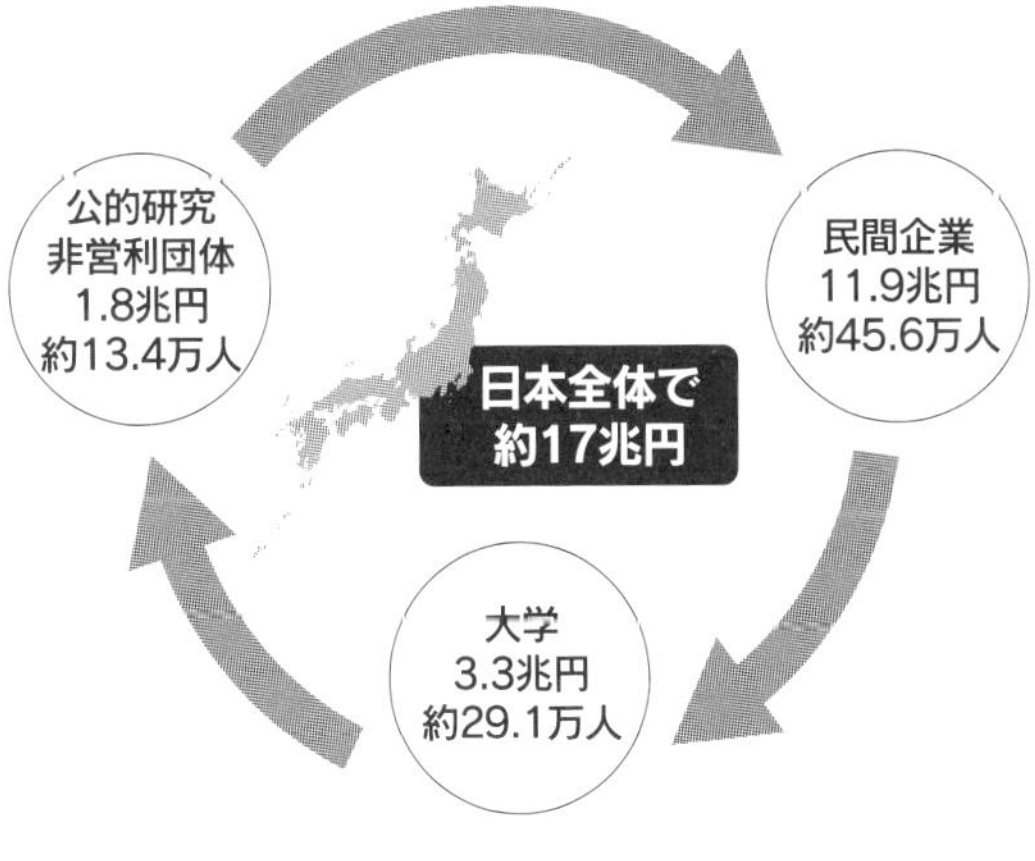

真に技術立国を目指す日本の姿を投影しているが、いずれも応用技術が中心であり、骨太の基礎研究はどちらかといえば不得意である。そして研究費の分配や使途についての合理性が不足しているとの指摘もある。

また、経済産業省や文部科学省の縦割り行政の弊害もある。つまり行政は予算獲得までは熱心であるが、その後は民間活力や独立行政法人に任せる傾向が強いのだ。その結果として、世界で最高レベルの予算を消化する割には研究成果に乏しく、世界の学界においても日本の学術的な地位は低下傾向にある。

日本の最大の問題は産業構造と行政機関がすべて縦割り構造になっていることだ。各業界が異質で、情報の共有や価値観の共有が出来ない構造（またはシステム）になっている。いわば大企業病の病巣と同じで、同じ仕事をバラバラに行うために統一性がなく、情報が一元化しないので効率が悪くなってしまう病理に陥っている。

成熟期を迎えた日本だからこそ、そろそろ多様性を認めながら「異」との協力関係を構築していく体制に本気で取り組むべきだろう。それが実現できないと、国際社会から取り残されてしまう日もそう遠くはない。

終章

資源プラネティストが未来を語る

資源プラネティスト中村繁夫の原点

「ウワー、さすがにリオの港は世界三大美港のひとつだなあ！」

三等客室のヒッピー仲間が呟いた。バルセロナの港からリオデジャネイロの港まで一四日の船旅である。八〇〇人を乗せたカーボ・ロケ号にはスペイン人やポルトガル人、イタリア人、フランス人、ドイツ人等々、様々な人種が乗り合わせていた。

筆者にとって生まれて初めての長い航海であったが、船内で行われる催しは毎日毎日が刺激的であり飽きることはなかった。

一九七二年一二月末。リオの港が近づくと、乗客はデッキに身を乗り出し早く陸に上がりたいと歓声を上げた。初めて訪問する未来国家ブラジルは、工業発展に沸き返る未知の大陸である。ブラジルの一二月はちょうど真夏に入る頃であり、生暖かい潮風が肌に纏わりついてきたのが印象的であった。

筆者中村が天然資源に興味を持つようになったのは、この時の体験が契機となっている。ブラジルは広大な国土に無いものはないといっていいほどの圧倒的な資源大国である。

資源貧国日本から来た若者の目に、この国の森林に眠る世界最大の鉄鉱石鉱山やあらゆる種類の非鉄金属資源は、実に大きなインパクトであった。

また、当時ブラジルには一〇〇万人もの日系移民が活躍しており、日本の高炉各社がウジミナス製鉄所（新日鐵）やツバロン製鉄所（当時の川崎製鉄）に大投資を始めた頃でもあった。

資源開発と自然破壊とデジタル革命のトリレンマ

ブラジルにはニオブが偏在している。自動車のデザインが流線型になったのはこのニオブのお陰である。日本の自動車産業に欠くことのできないこのニオブ資源の九七パーセントがブラジルに集中している。一般にはほとんど知られることのない事実である。

ニオブの新しい供給源を開発するため、ここのところ毎年アマゾンに出張している。その採掘現場であるアマゾンの資源開発は、密林の中の鉱区を掘り起こし、ダイナマイトで地響きを起こしながらジャングルを徐々に侵食していくのである。

資源開発と自然破壊は常に紙一重である。いわば環境へのジェノサイド（大量虐殺）のようなものだ。そこに地球規模のデジタル革命が押し寄せている。今や資源開発と自然破壊とデジタル革命のトリレンマ状態にある。

資源開発と自然破壊とデジタル革命の悪循環はデススパイラルとなり、いったん破壊された自然を復元するには途方もない時間がかかる。アマゾンの不法伐採を止めない限り、地球上の森林面積の減少を食い止めることはできない。

ブラジル訪問で一番思い出に残ったのが、アマゾン河流域を探検した時のことである。アマゾンの密林は樹と樹の間がわずか二〇センチメートルしかない密生状態であり、一〇メートル進むのに三〇分もかかった。いったんジャングルに迷い込んだら二度と出てこられない「緑の魔境」といわれる所以である。

世界の森林面積でトップであるアマゾンの密林が、不名誉なことに森林面積の減少率で今やトップである。

アマゾンの密林がなぜ形成されたのか？　サンタレンにあるＦＡＯ（国連食糧農業機関）で聞いた。多様な熱帯樹種は害虫から己の身を守るため、お互いに殺虫効果のある樹液を出し助け合っているそうだ。例えばＡの樹種からはＢの樹種を守る樹液を出し、ＢはＣを守り、ＣはＤを守る、という具合だ。自然共存のエコロジーメカニズムが、密林の生態系を維持しているわけである。

自然科学から学ぶことは実に多く、驚愕と感嘆に満ちている。

若き日に見た大パノラマの自然や、圧倒的迫力を持つ巨大な天然資源は、筆者の心に大きな楔を打ち込んでしまった。ブラジルは筆者にとって最も郷愁を感じる国家のひとつであり、資源開発と自然保護の両輪を動かし、繋ぎ、調和を保つ使命を感じさせてくれた原点の場所でもある。

資源の枯渇から地球を護る

一九七〇年に設立されたローマクラブは、石油王としても知られるアウレリオ・ペッチェイ博士が資源、環境破壊、人口問題などの全地球的な問題を解決するために設立した民間のシンクタンクである。世界の著名な科学者や学識経験者が集まり立ち上げたものだ。七二年に発表した「成長の限界」では、資源はあと数十年で枯渇すると報告し、世界中で物議を醸した。その後多少の手が加えられ、九二年にレポーティングした「限界を超えて生きるための選択」において、資源採取や環境汚染によって二一世紀の前半に地球の破局が訪れると主張している。

資源は確かに限りあるものだが、学者が強調するほど簡単に枯渇するとは思えないし、事実、枯渇はしていない。

著者は枯渇問題について懐疑的に見ている。なぜなら、例えば鉱物資源の場合、経済鉱量として見ると市況の上昇とともに増加している。枯渇問題はむしろメディアの誤解や偏見、そして情報操作によるところが大きいのではないか、と考えている。行政やアカデミアの立場においては、不安感を煽ることにより関連予算を確保できるなど、何かと都合がいい面もあるのだろうと、穿って見てしまう。

レアメタル取引においては、供給量が減少し市況が暴騰すれば、新規の供給元が必ず増加するのである。つまり可採埋蔵量は市況価格が上がれば増加するのである。

一方、技術開発の現場において物理的に供給不能な元素は利用されない。ただし例外的な元素もある。白金族である。プラチナやパラジウムは精製触媒に不可欠であり、需要は増加の一途であるが、代替元素が今のところ見つかっていない。従って白金族は長寿命化とリサイクル促進で対応するべきであろう。

白金族は年産わずか二四〇トン程度である。金は四〇〇〇トン、鉄に至っては一二億トンであるから、いかに希少金属であるかが理解してもらえるだろう。

代替資源や代替技術の開発、そのための社会的な仕組みづくり、資源国との安定供給外交、それらが枯渇問題を解決する鍵だと考えている。

循環型社会を実現する地球的共生思想

日本ばかりでなく、世界中で自然環境が変貌している。森林は破壊され、砂漠化が進行し、温暖化現象のため海水面は上昇、南太平洋の島嶼国は低い海抜のため消滅の危険に晒されている。生物の生態系にも多くの影響が出始めている。

循環型社会構築の重要性があらゆる分野で必要になってきている。

日本は資源がないからこそ「共生思想」を持ち、レアメタル資源においてもリサイクル促進においても、国境を越えた循環型システムの構築を目指すべきである。

共生思想は、具体的には、資源獲得のための外交力を強化することで実現できるだろう。世界で第二位の経済大国である強みを、資源開発に関わる探査、調査、技術供与そして鉱山開発のためのインフラ整備などに生かしていくべきである。特に環境問題や医療支援など日本が貢献できる分野は数多くある。これまでの国際協力といえばＯＤＡを活用した海外支援策がその主たるものであったが、発展途上国にとって必ずしも貢献度の高い支援とはいえなかった。

この発想は、自由貿易協定、ＦＴＡ（Free Trade Agreement）の考え方をさらに発展させたものと理解してもいい。すなわち日本と発展途上国との間で同一の経済圏を構築することが、真の国際貢献に繋がるという提案を真剣に議論すべきである。そして、この地球で共に生活する人々が、資源を確保せんとする熾烈な競争の中で、国際的な資源循環の重要性に気付いた時、資源国家との共生関係は不可欠なものになるのである。

日本人の故郷「アルタイ地域」を百年間租借

中国、インド、ロシアといった資源所有発展国にとって、資源は一時的な外交交渉力になりうるかもしれない。しかし、それが長続きするとは思えない。ロシアがエネルギー資源を外交カードに使うことは、我々にとって一九八〇年代半ばのOPECカルテル崩壊の記憶を蘇えさせる。旧ソ連の崩壊は貿易バランスの破綻が遠因にあったことを忘れるべきではない。中国やインドが資源力を背景に保護主義の傾向を強めたとしても、資源の枯渇までの期間はそう長くないことも事実である。

ここで発想を転換し、例えば国境を無視してしまってはどうだろうか？

モンゴルのジグジット駐日大使閣下から、「モンゴルの北部に、モンゴル、日本、ロシアの共同開発区を設置すること」を提案して頂いた。また、「モンゴルの南部に、モンゴ

モンゴルの鉱山を訪れる際に立ち寄ったゲルにて

ル、日本、中国の共同開発区を設置すること」も提案して頂いた。

著者の方は、西部のアルタイ地域を日本に百年間租借させて頂き、持続可能な資源の大開発を進めることを真剣に提案した。二一世紀において、真の意味でのグローバル貢献を実現するためには、省エネルギー、省資源、代替資源、エコリサイクル等の環境保全型技術開発力が鍵を握る。日本の持つ環境対応技術の粋を集め、「地球のへそ・アルタイ地域」を大開発することにより、国際貢献を推進していくというアイデアである。

八〇年代における日本の省エネルギー技術の開発が現在の自動車産業の盛衰を決定付けたように、二一世紀の環境問題の抜本的解決のための技術開発の推進と国際貢献策が未来国家における盛衰を決定することになるだろう。

資源大国である米国、ロシア、中国は地球環境における炭素排出量の半分以上を占めている。京都議定書の達成策定は地球号全体の問題であり、グローバル貢献そのものが国際間における交渉力の有効性に関係する。地球規模の環境規制強化は急務となっており、日本はその国際的発言力を得るために、またビジネスチャンスを逃さないために、倫理的権威を有するリーダーとしての環境技術先進国家を目指さなければならない。

我々はなお一層、環境と技術の調和を進める必要があり、持続可能な循環型社会を実現するための共生思想を共有し、外交力による循環型経済圏の構築を急がねばならない。日本は資源が無いからこそ逆に、グローバル貢献ができる技術力で生き残れるのである。

優れた技術開発力でレアメタル資源をコントロール

日本のレアメタル産業を支える人々は弱者から強者への発想の転換が必要であり、日本の技術者は新技術の開発力で世界のターミナルを目指すべきである。では、日本がレアメタル産業の世界のターミナルになるためには何を為すべきであろうか？

弱みを強みに転換する発想がある。中国はこれまで第一〇次五カ年計画の中で資源の優位性を産業の優位性に転化する政策を明確にしてきた。ならば我が日本は逆に技術の優位性を資源確保の優位性に転化する政策を取るべきではないか。まず日本は国家規模で新技術の開発に集中するべきである。日本の技術開発力が電子材料基礎分野において広範囲に存在していることは周知の事実だ。技術後進国はデバイスのアッセンブリーから着手するため、材料技術については日本の技術に依存せざるを得ない。今後も日本の材料技術はますます強くなっていくだろう。これは一〇年経っても、二〇年経っても同じ状況であり、中台韓（中国、台湾、韓国）がいくら開発に力を注いでも、これらの先進材料は日本から購入せざるを得ない産業構造になっている。

しかし、その根幹であるレアメタル原料について、これまで問題なく買えたため注意を払ってこなかった。昨今そのツケが回ってきている。資源国は国際市況で供給するだけの話である。電子材料は次々とイノベーションが進んでおり、この技術革新こそ日本の持ち味である。その実力と価値に我々日本の産業人は気がついていなかったのである。

日本はこれらの素材をいかに効率的かつ安価に生産するかという生産技術に特徴があるが、今回のレアメタル・パニックは、中間素材メーカーの存在意義を問い直すよい機会ともなった。つまりレアメタル原料は、一方的に国際市況で値上げを余儀なくされるが、その値上げ分を末端需要、すなわちデジタル家電メーカーや自動車メーカーに転嫁することができないのである。中間材料メーカーが日本の産業構造の中で常にクッションとなり割を食ってきた歴史があり、さらにその下部には下請け企業が「協力」という美名のもとに犠牲を強いられてきたのである。正にこの柔構造の中で春、夏、秋、冬と顔を合わせるたびに値下げ要求をされてきた経緯があり、材料メーカーとしてはたまったものではないであろう。「原料高の製品安」が定着し、中間材料メーカーとしては常に「利益なき繁忙」を強いられる構造が続いてきたのである。

しかし、今回のレアメタル・パニックが中間材料メーカーの有り様を変えつつある。系列の親会社に頭を押さえつけられていた中間材料メーカーには独立気運が高まり、国際市場に高値で輸出することで採算性の向上を図り始めた。原料高騰が日本の加工メーカーの危機意識を変えたのである。

日本は先端技術発信の中心となり、存在感を発揮することによってこそ、最大の安全保障となる。日本にとっての今後の戦略はこれに尽きると思う。情報・通信・エネルギー・航空宇宙・海洋開発等に伴う新材料の技術開発こそ、二一世紀のテーマであり、そこで最も重要なことが技術立国としての存在感である。無論、省エネルギー、省資源等の環境保全技術の開発が鍵になることは前段で述べた通りであり、新技術の開発に国境はないのである。

日本が世界のリーダーとして存在するためには、新技術の開発に総力を挙げることが最重要課題である。

資源インフレは繰り返す、備えよ!

二〇〇四年から五年間続いた資源価格高騰の原因はＢＲＩＣｓの本格的な工業化によってもたらされた。特に中国における資源需要の持続的・累積的増加に対し、世界的な供給面での制約（資源ナショナリズム）が強まっていった。さらに、需要の爆発と資源ナショナリズムに加えて企業買収（Ｍ＆Ａ）の嵐が吹き荒れたのである。

しかし「寸善尺魔」のたとえの通り、資源インフレのバブルが弾けたとたんに、未曾有の経済恐慌の道を辿っていった。発展途上国の経済は先進国経済とは連動しないという考えは見事に外れ、金融現象の影響はＢＲＩＣｓの実体経済にも影を落とした。しかし、金融システムの破綻が終息した折には、本来の姿に戻ることが予想される。ＢＲＩＣｓの国内経済は基本的に堅調であり、今後、資源価格がいったん底値を確認したら、資源価格は必ず再上昇に転じるものと予見される。

日欧米の金融当局による利下げや流動性供給が矢継ぎ早に実行された結果、いずれは新たな過剰流動性が起きるだろう。そして余剰資金が再び原油や金属などの資源市場に流入することになるのは確実である。資源インフレは必ず再来する。

問題はそれがいつか？　である。その鍵は「中国とインドが握っている」といっても過言ではない。

資源は地球人すべての宝！

地球号には約六七億人の人々が乗っている。

約一〇億人が先進国クラブで、同じく一〇億人が最貧国クラブで、残りが発展途上国クラブである。

この四七億人の発展途上国クラブから、限りなく豊かな人々が先進国クラブに参入してきている。全人類が平等に世界中の情報を共有し始めたからである。

今ほど「プラネティズム思想」が必要な時代はない。

プラネティズムとは「地球主義」のことである。人類の持続可能な発展のために、資源問題と環境問題を同時に解決してゆく概念を「資源プラネティズム」と呼んでいる。つまり資源は地球人のものであり、地球規模で、そのバランスと共生を考えなければならない時代になっているのだ。

地球温暖化による水問題、海面上昇、砂漠化、森林破壊、食糧争奪、疫病の蔓延、そして核発電の安全性、核兵器の開発競争、テロ行為の悪循環、環境汚染問題への対応など、課題は山積状態にある。

かけがえの無い地球の資源は全地球人のものである。各国は資源開発と地球環境のバランスをとりながら、今後の方向性を模索していく必要がある。資源ナショナリズムが激化する一方、国境という概念が希薄化してゆく。「資源プラネティズム」も時代の流れである。

著者略歴

中村繁夫《なかむらしげお》

一九四七年京都市生まれ。
静岡大学農学部卒、同大学院修士課程修了。
南米、北米など世界三五カ国放浪後、蝶理に入社。
三〇年間レアメタル部門の輸入買い付けを担当。
部下十数人の部門ごとMBOで独立し、
二〇〇四年、日本初のレアメタル専門商社
アドバンスト・マテリアル・ジャパン㈱を設立。
現在、同社代表取締役社長。
著書に『レアメタル・パニック』
『レアメタル資源争奪戦』『2次会は出るな!』など。
「WEDGE」で連載中。

幻冬舎新書 125

レアメタル超入門

現代の山師が挑む魑魅魍魎の世界

二〇〇九年 五 月三十日 第一刷発行
二〇一〇年十一月二十日 第二刷発行

著者 中村繁夫
発行人 見城 徹
編集人 志儀保博

発行所 株式会社 幻冬舎
〒一五一-〇〇五一 東京都渋谷区千駄ヶ谷四-九-七
電話 〇三-五四一一-六二一一(編集)
〇三-五四一一-六二二二(営業)
振替 〇〇一二〇-八-七六七六四三

ブックデザイン 鈴木成一デザイン室
印刷・製本所 中央精版印刷株式会社

Printed in Japan ISBN978-4-344-98124-9 C0295
な-6-1
幻冬舎ホームページアドレス http://www.gentosha.co.jp/
*この本に関するご意見・ご感想をメールでお寄せいただく場合は、comment@gentosha.co.jpまで。

門倉貴史
世界一身近な世界経済入門

生活必需品の相次ぐ値上げなどの身近な経済現象から、新興国の台頭がもたらす世界経済の地殻変動を解説。ポストＢＲＩＣｓ、産油国の勢力図、環境ビジネス……世界経済のトレンドはこの１冊でわかる！

門倉貴史
イスラム金融入門
世界マネーの新潮流

イスラム金融とはイスラム教の教えを守り「利子」の取引をしない金融の仕組みのこと。米国型グローバル資本主義の対抗軸としても注目され、急成長を遂げる新しい金融の仕組みと最新事情を解説。

東谷暁
世界と日本経済30のデタラメ

「日本はもっと構造改革を進めるべき」「不況対策に公共投資は効かない」「増税は必要ない」等、メディアで罷り通るデタラメを緻密なデータ分析で徹底論破。真実を知ることなくして日本の再生はない！

橘　玲
マネーロンダリング入門
国際金融詐欺からテロ資金まで

マネーロンダリングとは、裏金やテロ資金を複数の金融機関を使って隠匿する行為をいう。カシオ詐欺事件、五菱会事件、ライブドア事件などの具体例を挙げ、初心者にマネロンの現場が体験できるように案内。

幻冬舎新書

手嶋龍一　佐藤優

インテリジェンス　武器なき戦争

経済大国日本は、インテリジェンス大国たる素質を秘めている。日本版NSC・国家安全保障会議の設立より、まず人材育成を目指せ…等、情報大国ニッポンの誕生に向けたインテリジェンス案内書。

坪井信行

100億円はゴミ同然
アナリスト、トレーダーの24時間

巨額マネーを秒単位で動かし、市場を操るトレーディングの世界。そこで働く勝負師だけが知る、未来予測と情報戦に勝つ術とは？　複雑な投資業界の構造と、異常な感覚で生き抜くプロ集団の実態。

紺谷典子

平成経済20年史

バブルの破裂から始まった平成は、世界金融の破綻で20年目の幕を下ろす。この20年間を振り返り、日本が墜落した最悪の歴史とそのただ1つの原因を解き明かし、復活へ一縷の望みをつなぐ稀有な書。

津田倫男

M&A世界最終戦争
日本企業の生き残り戦略

仕掛けなければ必ずやられる「日本vs世界」の仁義なき戦い。金融危機後、世界のM&Aは正常に戻り、そして訪れた急激な円高。この十五年間をしのいだ日本企業に今、千載一遇のチャンスが。

守誠
ユダヤ人とダイヤモンド

「ヴェニスの商人」の高利貸しで有名な彼らは疎まれたこの仕事へどう追いやられ、ダイヤモンド・ビジネスに参入し覇者となったか。度重なる迫害でダイヤモンドが離散民族をいかに助けたか。

宮台真司
日本の難点

すべての境界線があやふやで恣意的（デタラメ）な時代。「評価の物差し」をどう作るのか。人文知における最先端の枠組を総動員してそれに答える「宮台真司版・日本の論点」、満を持しての書き下ろし!!

エリオット J. シマ
金正日の愛と地獄

裏切り者を容赦なく処刑し、大国を相手にしたたかに渡り合う暴君で非情の独裁者・金正日の、男として、父親として、金王朝の王としての人間像、指導者像に肉迫するセンセーショナルな一冊。

星川淳
日本はなぜ世界で一番クジラを殺すのか

国民一人当たり年間平均3切れしか鯨肉を口にしない現状で、国際社会の取り決めを無視してクジラを〝水産資源〟として捕り続ける日本のマナー違反を徹底的に検証し、環境と共存する生き方を探る。

幻冬舎新書

出井伸之
日本進化論
二〇二〇年に向けて

大量生産型の産業資本主義から情報ネットワーク金融資本主義へ大転換期のいまこそ、日本が再び跳躍する好機といえる。元ソニー最高顧問が日本再生に向けて指南する21世紀型「国家」経営論。

波頭亮　茂木健一郎
日本人の精神と資本主義の倫理

経済繁栄一辺倒で無個性・無批判の現代ニッポン社会はいったいどこへ向かっているのか。気鋭の論客二人が繰り広げるプロフェッショナル論、仕事論、メディア論、文化論、格差論、教育論。

武田邦彦
偽善エコロジー
「環境生活」が地球を破壊する

「エコバッグ推進はかえって石油のムダ使い」「割り箸は使ったほうが森に優しい」「家電リサイクルに潜む国家ぐるみの偽装とは」……身近なエコの過ちと、「環境」を印籠にした金儲けのカラクリが明らかに！

佐伯啓思
自由と民主主義をもうやめる

日本が直面する危機は、自由と民主主義を至上価値とする進歩主義＝アメリカニズムの帰結だ。食い止めるには封印されてきた日本的価値を取り戻すしかない。真の保守思想家が語る日本の針路。

幻冬舎新書

渡辺将人
オバマのアメリカ
大統領選挙と超大国のゆくえ

なぜオバマだったのか。弱冠47歳ハワイ生まれのアフリカ系が、ベテランを押さえて大統領になった。選挙にこそ、アメリカの〈今〉が現れる。気鋭の若手研究者が浮き彫りにする超大国の内実。

森功
血税空港
本日も遠く高く不便な空の便

頭打ちの国内線中心の羽田空港。米航空会社に占められ新規参入枠がない成田空港。全国津々浦々99の空港のほとんどが火の車で、毎年5000億円の税金が垂れ流し。そんな航空行政を緊急告発。

田中和彦
あなたが年収1000万円稼げない理由。
給料氷河期を勝ち残るキャリア・デザイン

大企業にいれば安泰、という時代は終わった。年収1000万円以上の勝ち組と年収300万円以下の負け組の二極分化が進む中で、年収勝者になるために有効な8つのポイントとは。

上杉隆
ジャーナリズム崩壊

日本の新聞・テレビの記者たちが世界中で笑われている。その象徴が「記者クラブ」だ。メモを互いに見せ合い同じ記事を書く「メモ合わせ」等、呆れた実態を明らかにする、亡国のメディア論。